JN117405

REBORN
ART
FESTIVAL
2019
DOCUMENTS

人間も自然の一部と思うところからスタートして、何が正しいのかではなく、どこで響きあえるのか、
それを探しながら進んできて、2回目の本祭を終えることができました。
「いのちのてざわり」という言葉があり、人懐っこかったり、情が深くなったり、王道的だったり、
カウンター的だったり、壮大だったり、なんてことなく見えたり、新しかったり、
懐かしかったり、言葉が美しかったり、言葉を超えていたり。
アーティストもお客さんも、多様に、ある意味勝手に、作品とともに盛り上がっていけた2回目だったと思います。
地元の方々、協力者の皆さん、助けていただいて本当にありがとうございました。
強い力に頼るだけではない、響き合う場づくりを、次もやっていきたいです。

リボーンアート・フェスティバル実行委員長　小林武史

「Reborn-Art＝人が生きる術」をキーワードに掲げる

リボーンアート・フェスティバルは、

宮城県の牡鹿半島と石巻市街地を主な舞台とした、

「アート」「音楽」「食」を楽しむことのできるお祭りです。

2回目となる2019年のテーマは「いのちのてざわり」。

7つのエリアで7組のキュレーターとともに多様なアーティストたちが展開するアート、

地域や作品と融合して感動を増幅する音楽、

様々な食体験を通して石巻を一層深く味わう食……。

人が生きることの本質からどんどん遠ざかりつつあるように見える現代社会のなか、

石巻でしか生まれ得ない「いのち」という我々の根源に深く触れることのできる作品を、

新たな「ポジティブ」を見つける未来に向けたダイナミズムを体感する機会となりました。

舞台はみちのく宮城県の牡鹿半島と石巻市街地

リボーンアート・フェスティバルの開催地は、宮城県の牡鹿半島と石巻市街地。北上川の河口に位置し、世界三大漁場・金華山沖を抱える自然豊かな地域です。東日本大震災では甚大な被害を受け、津波犠牲者最多の市区町村となりましたが、徐々に復興しつつあります。石巻へは、東京から約2時間40分、仙台からなら約1時間。石巻市街地から牡鹿半島先端の鮎川までは車で約1時間。網地島へは、石巻市街地から船で約1時間、鮎川からなら船で約20分で辿り着けます。

北上川

旧北上川

石巻市
Ishinomaki City

石巻河南
IC

三陸自動車道

国道15号

石巻駅
Ishinomaki
Station

網地島ライン
中央発着所
網地島ライン
門脇発着所

国道3

東松島市
Higashi
matsushima
City

松島町
Matsushima
Town

塩竈市
Shiogama
City

至仙台 To Sendai

A
石巻駅前エリア
Ishinomaki
Station Area

B
市街地エリア
Central
Ishinomaki
Area

女川町
Onagawa Town

女川駅
Onagawa Station

県道2号

国道220号

C
桃浦エリア
Momonoura
Area

E
小積エリア
Kozumi
Area

D
荻浜エリア
Oginohama
Area

牡鹿半島
Oshika
Peninsula

F
鮎川エリア
Ayukawa
Area

田代島
Tashiro Island

鮎川港

金華山
Mt. Kinka

G
網地島エリア
Ajishima
Area

網地港

長渡港

REBORN
ART
FESTIVAL
2019
DOCUMENTS

※情報は基本的に2019年時点のものです
※各作品・プロジェクトのアーティストプロフィールや
協力者など詳細は巻末の「DETAILS」をご覧ください

ART

地域の未来を示唆するアート

7つのエリアで、7組のキュレーターとともに、
69組のアーティストたちが作品を展開。
それぞれの地域で住民や土地の記憶に触れ、
豊かさ、強さ、厳しさや優しさを感じたアーティストたちは、
さまざまなメッセージを発し、未知の世界を見せてくれました。

ザイ・クーニン《茶碗の底の千の眼》

石巻市
Ishinomaki
City

牡鹿半島
Oshika Peninsula

石巻駅前エリア
ISHINOMAKI
STATION AREA

—
キュレーター
中沢新一
—

Curator
Shinichi Nakazawa

海へのアート＝リチュアル
Art-Ritual for Sea

　かつて南の海域に「スンダランド」という巨大な大陸がありました。そこには数万年前から人類が住みつき、狩猟と採集による豊かな文化を築いていました。氷河期が終わり地球の温暖化が進んで海水面が上昇すると、無数の群島を残してスンダランドの大半は海に沈んでしまいます。その時、多くの人々が海への脱出を敢行しました。南の海域に海民として新しい生活の場所を見つけた人々も多くいたなか、黒潮に乗ってはるばる日本列島にたどり着いた人々もいました。彼らが列島に縄文文化を花開かせ、その後の日本人と日本文化の基礎をつくりました。

　シンガポールの漁村に生まれたザイ・クーニンは、オラン・ラウト（海の民）の精神を受け継ぎ、黒潮を制作のテーマにもしていました。彼は言わば、海洋的自然と一体になった想像力を駆使して、人間に失われかけている心の野生を取り戻す

“アート＝リチュアル^{儀式}”を実践してきた人です。僕も日本人のルーツであるスンダランドの研究を続けてきて、深いところでつながるものがある。その二人が、黒潮が北からくる親潮とぶつかる重要な場所（金華山沖）につながる石巻で出会いました。自分たちを結ぶスンダランドの精神をこの場所でリボーンさせようと試みたのです。

　ザイは、「私はアーティストである前に一匹のオニでありたい」と語っています。日本に暮らしていたこともある彼は、日本人が、人間の力を超えた超自然力のことを「オニ」と呼んでいることを理解していた。そして海の霊力に深い感謝の念を抱いてきた人間の根源的な思いをダイナミックに造形してくれました。たくさんの茶碗にたたえられていた水は、スンダランドの水でもあるのです。

　一方、駅前では、両義性をもつ海へと人々を導くようなものをつくりたいと思いました。海は人間の世界へ入り込んで大変な災害をもたらしたけれど、石巻の人、特に漁師さんにとっては「母親と怪物

のような二つの面を合わせたもの」だといいます。恐ろしい側面もあるけれど、母親のように自分たちを育てて生活させてくれる貴重なゆりかごなのです。

　石巻は古くから海産物が非常に豊かで、良い生活の場だったのでしょう。旧石器時代人も縄文人も弥生人も来ています。縄文時代には松島から石巻へかけて多くの村ができ、その後に稲作の技術をもった弥生人が入ってきた。海の民とも呼ばれる彼らは、半農半漁で潜水漁法をし、二つの面をもつ海を愛していたことでしょう。このような開かれた精神は、アートが表現しようとしているものそのものではないでしょうか。アートは、仮に今の時代において少し危険とされるものだとしても、美しさや大切さがあると堂々と表現していくものです。これは、海に向かって開かれた心を日本人に取り戻すために、黒潮の雄大な流れを石巻に呼び戻すアート＝リチュアル。私たちの魂は今も、南の海域の原郷に向かって開かれているのです。

A1

—

ザイ・クーニン、大崎映晋、山内光枝、中沢新一

海に開く
2019
石巻駅前

—

Zai Kuning, Eishin Osaki, Terue Yamauchi,
Shinichi Nakazawa

Opening out to the sea
2019
In front of Ishinomaki Station

リボーンアート・フェスティバルの出発地点となる石巻駅前に、「母親と怪物のような二つの面」をもつ海へと人々の心を誘うインスタレーションが出現しました。そこには、ザイ・クーニンによるドローイングや、今回のキュレーションのきっかけとなった船の作品《Dapunta Hyang: Transmission of Knowledge》の写真、また、ザイがオラン・ラウト（海の民）の暮らす島での旅を通じて制作した映像作品『RIAU』の一部、オラン・ラウトにまつわる言葉も。そしてそれらと並んで展示されたのは、大崎映晋（1920年-2015年）と山内光枝（1982年-）による、年代の異なる海女の写真作品。山内の作品群には海士（男性の素潜り漁師）の写真や、写真に寄せた言葉も含まれ、相乗的に強い印象を残しました。

黒潮に乗って北上してきた海民の文化は、日本列島の随所に残る海女・海士の伝統のなかに見ることができる。「日本人は"北のオラン・ラウト"である」ということが表されました。

A2

—

ザイ・クーニン

茶碗の底の千の眼
2019
旧観慶丸商店2F

—

Zai Kuning

Thousands Eyes in the Bowl
2019
Former Kankeimaru Shoten 2F

石巻初の百貨店として、後に陶器店として約80年にわたり市民に親しまれてきた旧観慶丸商店。港町石巻の繁栄を象徴した特徴ある建物は、2015年に石巻市有形文化財に指定され、町の文化の拠点として生まれ変わりました。この建物の歴史に呼応するようにしてザイ・クーニンが構想したのは、人々から集めた大量の茶碗を用いた作品。集まった1000点あまりの茶碗のなかには、津波により運ばれて

きたのであろう土砂が付着したものも。旧観慶丸商店の2階の床に並べられたそれらには水が張られ、「眼」が浮かべられました。
ご飯をよそう茶碗は人の暮らしを映すもの、千の眼は石巻の未来を見つめているとザイは言います。「この作品を通して、困難を乗り越えて生活を取り戻した石巻の人々を尊敬し、彼らの記憶に感謝を捧げます」(ザイ・クーニン)

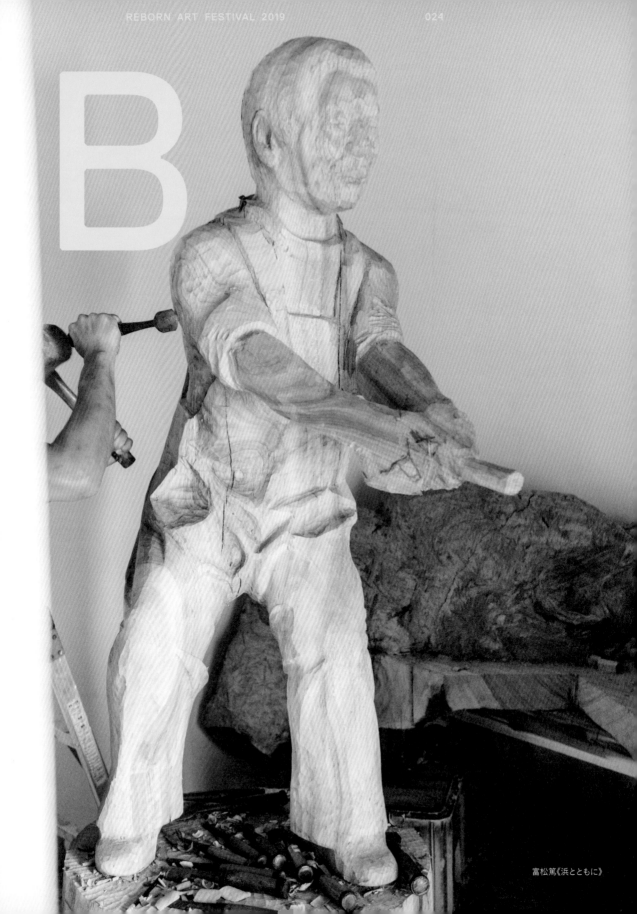

B

富松篤《浜とともに》

石巻市
Ishinomaki
City

牡鹿半島
Oshika Peninsula

市街地エリア
CENTRAL
ISHINOMAKI
AREA

—

キュレーター
有馬かおる

—

Curator
Kaoru Arima

街のマンガロードとアートロード
Manga Road and
Art Road of the City

石巻には、石ノ森萬画館があり、石ノ森章太郎のキャラクターが点在する「マンガロード」があります。今回はそこに「アートロード」を加えることを構想しました。リボーンアート・フェスティバル2017で「石巻のキワマリ荘」を立ち上げた私のコンセプト「会期が終わった後も石巻のアートシーンを継続させる」から、中心となるのは石巻の作家です。

まずは「マンガロード」。ある日、「石巻のキワマリ荘」の大家さんから同級生として地元のマンガ家・たなか亜希夫を紹介され、被災した『迷走王ボーダー』の原稿を目にしました。実は私が各地で展開してきた「キワマリ荘」は、『迷走王ボーダー』に多大な影響を受けており、この出会いは奇跡的でした。そのマンガ原稿を軸にした「たなか亜希夫展」には、地元の高校生二人も参加。彼らが石巻に抱く想いは明るくなく、だからこそ彼らには「自分たちがやらねば」という気持ちがあり、

それが作品になっていきました。また、石巻劇場芸術協会は、彼らが保存している「日活パール劇場※」の看板を出展。「石巻の文化の灯」を再び灯したいという思いを表現しました。

次に、マンガ枠を増やすべく、数々のマンガ家やイラストレーターとの展覧会を企画し、アートとマンガの両方を理解しているオザワミカに連絡をとりました。彼女がディレクションしたのは「青木俊直展」。青木はいつでもどこでも絵を描いている画狂人で、石巻の不登校問題をテーマにキャラクターを描き下ろし、「マンガ的発想」で空間を構成してくれました。

そして「アートロード」。地域とアートの関係性に着目しながら継続、成長、発展する場所である「石巻のキワマリ荘」では今回、ここを拠点にするメンバーのうち5人が「暮らし」をテーマに表現。震災の記憶を抱えた土地でともに現在を生きることの共同性や多様性を示しました。

「ART DRUG CENTER」は、地元在住作家で、石巻の作家の指針である守章とオープンしたアートスペース。守から

「自宅（花屋）の2階をギャラリーにしないか」と持ちかけられ、2019年3月に「石巻のキワマリ荘」の代表を降りた私はその覚悟に応じて共同運営をすることに。ここでは「アートは人の心を治療する」に由来するスペース名の通り、5人の作家が自己治療的な作品を中心に展示しました。

最後は「山形藝術界隈」。「山形ビエンナーレ2016」期間中に開催されたアートの市「芸術界隈」（ディレクター：三瀬夏之介）から派生した芸術運動体として実験的な活動を行う彼らは、東北の新しいアートシーンにおいて突出しており、1年前から「GALVANIZE gallery」（石巻のキワマリ荘内）で通年企画をしていました。展示企画構成を担当したhalken LLPは次々と起こる場所の問題にも対応し、8人のアーティストたちはその実力を発揮した作品を繰り広げ、石巻の若手作家の目標となってくれました。

種を蒔き、育て、新しい芽が出るのを待つ。様々な方の力を借りて、その複数の点を線（ロード）にすることができました。

※リボーンアート・フェスティバル2017の会場にもなり、その後閉館した映画館

マンガロード
青木俊直展
展示企画構成：オザワミカ

—

Manga Road
The exhibition of Toshinao Aoki
Direction: Mika Ozawa

B1

—

青木俊直

クラスルーム ver.A
2019
旧旅行代理店

—

Toshinao Aoki

Classroom ver.A
2019
Former travel agency

「会場視察の際に、石巻市の不登校率が全国平均を大きく上回っている現状を知りました。神奈川在住の私のまわりでも不登校は身近なテーマとなっていたことを踏まえ、ゲームやアニメのキャラクターも手がける漫画家・青木俊直と『行きたくなる学校』の考察がはじまりました。青木と作る教室は、青木独自の個性的かつ見る人の心を曇らせないキャラクターたちが『こっちにおいでよ！楽しいよ！』と来場者を自然と引き入れ、漫画のページの中を体感するような空間となりました。

石巻にとって『学校』という場所は震災と切り離せない部分もあり、かなりナイーブなファクターを含んだ作品であるため、地元の方にどう受け止められるかの心配もありましたが、地元の方を含めたご来場者の方からは『楽しかった』と好評を得て、『漫画』の持つ力を改めて実感することとなりました」（オザワミカ）

9月29日には「青木俊直の黒板でゆるゆるおえかき」としてライブドローイングを行いました。

マンガロード
たなか亜希夫展
展示企画構成：有馬かおる

—

Manga Road
The exhibition of Akio Tanaka
Direction: Kaoru Arima

B2-1

—

たなか亜希夫

街の灯火
2019
パナックけいてい

—

Akio Tanaka

Lights in town
2019
Panacc Keitei

「震災後、水浸しになり散らばったマンガ原稿を見たたなか亜希夫は、それらを揃えて重ね、保存しました。その結果、原稿と原稿がくっついて、ひと塊になり、そこにはいまだに湿り気があります。マンガ原稿にはトレーシングペーパーが貼られていて、剥がれやすい。問題はここからです。原稿とその上に貼られたトレーシングペーパーは、あの日、水に浸かった影響で変色しカビている部分もある。その、トレーシングペーパーから透けて見える原稿の状態が美しいのです。この原稿の塊は、たな

か亜希夫と自然が作り出したコラボレーション作品になり、畏敬の念を抱かせるのです。たなかは原稿の修復を望んでいますが、修復を依頼してしまったら、現状の奇跡的な美しさは保存されません。汚れたトレーシングペーパーは剥がされ、新しい保護紙が貼られるでしょう。"保存"とは、何を対象にするかで、方法が変わってくる。私は、地元の写真家に数枚写真を撮影してもらうことにしました。これから、このマンガ原稿がどの道を進んでもいいように」（有馬かおる）

B2-2

—

石巻劇場芸術協会

City Lights
2019
パナックけいてい

—

Ishinomaki Theatrical Arts Council

City Lights
2019
Panacc Keitei

石巻で「ISHINOMAKI金曜映画館」や「いしのまき演劇祭」など、映画や演劇に関する企画・制作・プロデュースを行っていたメンバーが集い、2018年に発足した石巻劇場芸術協会。劇場芸術をあらゆる観点から日常生活まで落とし込み、楽しみながら継承してゆくことを目指し、横断的にプロジェクトを展開しています。「映画『City Lights』を観てからというもの、私たちの『街の灯』は何かをずっと考えています。石巻のバックストリートで最もロマンチックな街の灯は日活パール劇場のネオンでした。『津波が来ようが地震が来ようが、映画の灯は消しませんよ。われわれには表現の自由が約束されている』。館主が遺した言葉は私たちの心を掻き立てました。閉館してもなお物語を内包する日活パール劇場のネオンは、チャップリンの言葉を借りるならば、冒険心を掻き立ててくれる街の灯。明るみの中で本当に大切なものは見えない。街が眠りに就いた後も、闇の中で光り輝け」（石巻劇場芸術協会）

B2-3

—

八重樫蓮

Landmark?
2019
パナックけいてい

—

Ren Yaegashi

Landmark?
2019
Panacc Keitei

2001年、石巻生まれの八重樫蓮は、宮城県石巻工業高校電気情報科に在学中（当時）。今回は石巻市街地の商店街の一角に建設されている12階建のビルを町の様々な角度から撮影し、ショートアニメーションを制作しました。高校生の作者が、"ランドマーク"として建設中のビルに対して疑問を投げかけます。

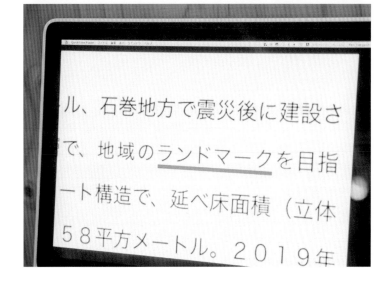

B2-4

—

ヤグチユヅキ

ナツ・ユメ・ナギサ
2019
パナックけいてい

—

Yuzuki Yaguchi

Summer, Dream, Beach
2019
Panacc Keitei

2002年に石巻に生まれ、若くしてエンジニア・トラックメイカーとしても活動するヤグチユヅキは、主にサンプリングによる制作を行っています。
「石巻市の海を映した映像作品です。人は変化を目の当たりにすることで時間の経過を実感することができます。石巻市には堤防によって人の目に留まることがなくなり、変化や時間の経過が観測されなくなってしまった海や浜が多くあります。そんな海の瞬間を切り取った音声・映像を積み重ねることで止まってしまった時間を現在と繋ぐことを試みます」
（ヤグチユヅキ）

アートロード
山形藝術界隈
展示企画構成 : halken LLP

—

Art Road
Yamagata Geijyutsu Kaiwai
Direction: halken LLP

B3-1

—

大槌秀樹

神々の撮影
2019
旧柏屋

—

Hideki Ozuchi

Photographing of gods
2019
Former Kashiwa-ya

千葉県出身山形市在住の大槌秀樹は、「自然
と共に生きる術」を「神々と共に生きること」
と捉え、様々な神々のポージングを用いて場
に介入し、制作を行っています。
「石巻を取材する中、偶然にもある廃道を見つ
けました。その廃道はもとは一本の道であっ
たものの、新たな道路が作られたことにより
複数に分断されていました。不思議なことに、
分断された廃道は同じ道にもかかわらずそれ
ぞれ異なる風景を作り出し、自然と人工物が
未分化状態にありました。僕はこの分断され
た廃道が、"近代の終わりとこれからの未来の
風景"として、先駆的存在としてあると考えま
した。石巻は広大な自然と共にある街です。か
つて近代以前のはるか昔、古代ギリシャでは
神々(自然)を崇め敬い恐れていました。それ
は、奇しくも西洋中心主義の近代化とは違い、
神々(自然)は共に目の前にある存在でした。
この古代の状況と未分化な現在・未来の状況
を、僕自身の身体的介入により重ねてみようと
思いました。今後もこの分断された廃道に通
い、共に生きようと思います」(大槌秀樹)

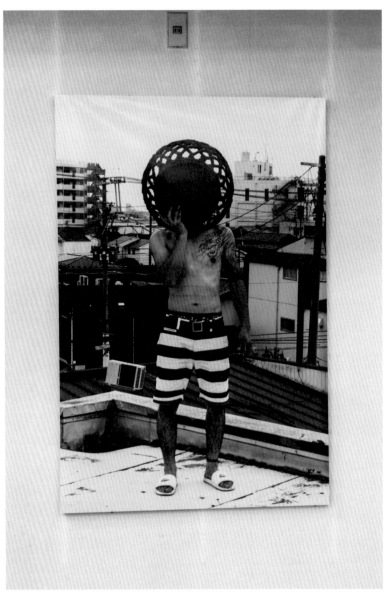

B3-2

—

工藤玲那

辺境の人々
2019
旧柏屋

—

Rena Kudoh

The Folk of the Fringe
2019
Former Kashiwa-ya

工藤玲那は、粘土とドローイングで作品を制作しているアーティスト。
「今回はヤンキーの方たちとお話がしたいと思い、石巻にずっと住んでいるやんちゃそうな方、もしくは昔やんちゃだった方々に協力していただき、その場で生の粘土をくっつけてポートレートを制作しました。言語外のコミュニケーション方法です。
学生時代に転校を繰り返しどこにいってもよそ者であった私は、どこか浮いているのに妙に町になじむ彼らに故郷のような一方的な愛着を感じていました。
制作途中に一人の方が『土地の呪縛』と言っていました。言葉の不穏さとはうらはらに、その方はとても満足げな顔をしていたのが印象的でした。どこにでもいけるはずの彼らがどこにも行かない理由を垣間見たような気がします。ご協力いただいた皆様、本当にありがとうございました」(工藤玲那)

B3-3

—

後藤拓朗

ふるさとの風景
2019
旧柏屋

—

Takuro Goto

Hometown scenery
2019
Former Kashiwa-ya

東北芸術工科大学で西洋絵画を学んだ後藤拓朗は今回、山形の廃屋を描いた油彩画シリーズを展開。
「向井潤吉の民家の絵から着想を得て、現実を直視した郷土の風景絵画を描くことで、東北をはじめとした地方、ひいては日本全体の置かれている現状を表現しようと試みています。本展では当初、石巻の被災した建造物や風景を描き展示したいと考えました。しかし取材を通して伝わる被災の現実は、およそ自分が作品として扱えるようなモチーフではないと実感しました。そこで自分の近所にある廃村を描き石巻に展示することで、緩やかな建造物や共同体の消失と被災とが接続され、より普遍的なものとして自然と人間との関わりが表現できるのではないかと考えました。展示では会場に点在する形で配置し、他の山形藝術界隈出品者の作品と呼応することで、なにか解答を示すのではなく、保留し他の可能性を排除せず、変容しながら曖昧に共存するあり方を提示するものになったと考えます」
（後藤拓朗）

B3-4

—

是恒さくら

再編
「ありふれたくじら：牡鹿半島〜太地浦」
2019
旧柏屋

—

Sakura Koretsune

Reweaving
"Ordinary Whales: Oshika Peninsula
to Taijiura"
2019
Former Kashiwa-ya

是恒さくらは広島県倉橋島で生まれ育ち、アラスカ先住民の芸術への関心からアラスカ大学に留学。近年は北米や東北各地の捕鯨、漁労、海の民俗文化についてフィールドワークと採話を行い、リトルプレスや刺繍、造形作品として発表しています。
「日本列島の太平洋沿いに点在する、捕鯨を生業としてきた町を訪ね歩くなかで、石巻市と和歌山県太地町に共通する捕鯨の記憶に出会いました。ともに捕鯨基地として知られ、か

つて捕鯨船の航路で結ばれたこのふたつの町の人たちは、頻繁にお互いの土地を行き来していました。捕鯨産業の衰退ともにその交流は少なくなりましたが、今なお人々の記憶には互いの土地の物語が残っています。本作では、石巻と太地町の捕鯨にまつわる採話を往復書簡のように編んだ小冊子とテキスタイル作品、そしてその採話を公募で集まった方々に石巻各所で朗読してもらった音声を発表しました」
（是恒さくら）

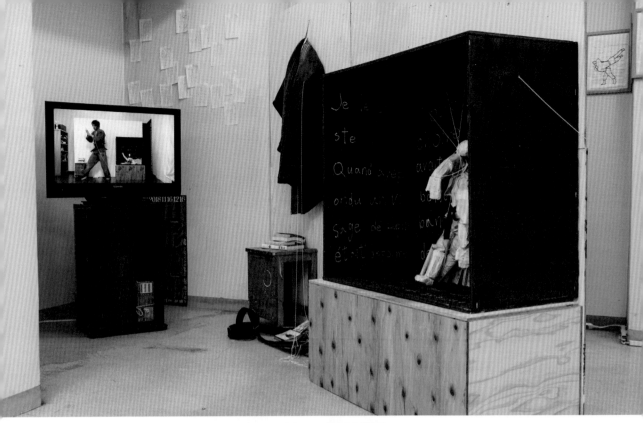

B3-5

—

渋谷剛史

武道形
2019
旧柏屋

—

Takefumi Shibuya

The forms of martial arts
2019
Former Kashiwa-ya

1994年山形県生まれ、学生時代に柔道を通して経験した体育会系の行き過ぎた上下関係の仕組みに関心を持ったことから作品制作を始めた渋谷剛史は、体育会系のノリを戦前と戦後の共通理解のツールとして用いたパフォーマンスやプロジェクトを展開しています。
「当初は神永昭夫が東京五輪で負けたエピソードを敗戦と重ね、慰霊碑と試合をする作品と武道と美術の歴史の関係性に言及した作品を展示しました。そしてその制作過程で石巻の方々と交流したのを機に震災当時の石巻

の状況に興味を持ち、被災した家具を展示に用い、当時は話せなかった思いを掘り起こし、物語として保存することを目的とした漫画作品を公開制作で作りました。当初は制作が停滞気味で今回の展示で作家活動は辞めて公務員試験に専念しようと思っていましたが、モチベーションを取り戻し、作品の完成度自体も上がりました」(渋谷剛史)
8月12・13日に公開制作、9月28・29日にはパフォーマンス《芸術家たちに柔道着を青く染めてもらう》を行いました。

B3-6

—

白丸たくト

石巻──複雑な感情
2019
旧柏屋

—

Takuto Shiromaru

Ishinomaki —Mixed Emotions
2019
Former Kashiwa-ya

空気感や雰囲気をテーマに音楽や映像を制作している白丸たくトの作品は、世界的なロックバンドであるThe Rolling Stonesの曲を石巻の方々に石巻弁で歌ってもらうというもの。「元々方言や訛りに興味があり、その地で生きる人々の言葉や声がそのまま歌になるような瞬間を聴いてみたいという思いから制作を始めました。カラオケは私にとってコミュニケーションの一つです。歌を通じて人と人が、人と土地とが緩やかに結ばれるような作品となりました。歌っていただいた曲は1989年に発表された『Mixed Emotions』で、お互いの感情を思いやるような振り切れた歌詞とポジティブな曲調です。地の言葉も相まって、歌うにつれ気持ちが高まっていく出演者の姿が印象的でした。
最後になりましたが、協力していただいた皆さま、そして素晴らしい楽曲を残してくれたロックバンドに敬意と感謝を。ありがとうございました」（白丸たくト）

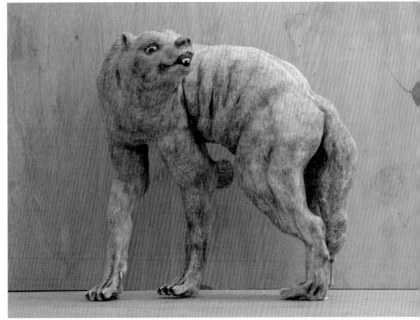

B3-7

—

根本裕子

野良犬
2016-2019
旧柏屋

—

Yuko Nemoto

Stray dogs
2016-2019
Former Kashiwa-ya

手びねりによって動物の形を借りた架空の生き物などを陶作してきた根本裕子は、山形芸術界隈の展示スペースに《野良犬》を点在させました。
「きっかけは、石巻市に『狼』という地名があることを知ったり、牡鹿半島の鹿が増えた理由の一つは狼が消えたことにあると聞いたりして、不在ではありますが、石巻との繋がりを感じたからでした。《野良犬》は、絶滅したとされるニホンオオカミと、日本では殺処分されてしまう野良犬達に焦点を当てた作品群です。

狼は『大神』と表されることもあり山の守護神を担っていましたが、近代化の流れの中で、狂犬病への恐れから、害獣として処分される例があったようです。新型コロナウィルスの影響でもそうですが、『排除する／される』のやり取りや、それにまつわる集団心理に翻弄される機会は私たちの世界にたくさん満ちています。人間以外の目線も重要かと思います。今回、市街地で実際に展示をしてみて、領土とは何か、繋がりとは何かを考えるきっかけになったように感じます」(根本裕子)

B3-8

—

久松知子

小さな物語を描く
2018-2019
旧柏屋

—

Tomoko Hisamatsu

lLittle Narratives
2018-2019
Former Kashiwa-ya

久松知子は東北地方を拠点としながら、都市と地方のギャップに批判的に向き合おうとする画家です。

「『小さな物語を描く』というシリーズの制作動機は、それ以前は日本近代美術史などの"大きな物語"を描くことを主軸としていましたが、そのストーリーの持つ強固な意志やコンセプトに疑念が生まれたとき、脆弱でもいいから、プライベートで日常的な主題を描きたいと思うようになったことです。描いたのは自身も含めた家族や友人たち。それらは携帯カメラなどで撮ったスナップショットをもとにした個人の思い出です。描き方はコンセプチュアルに統一されているわけではなく、描き込んだ情報量の多いものから、ぼんやりとラフなやわらかい描き方をしたものまで変遷しています。このシリーズは2017年から19年までに特に取り組んでおり、その間に開催してきた山形藝術界隈展を中心に発表してきました」（久松知子）

山形藝術界隈関連プロジェクト

—

後藤拓朗が仮設ギャラリーで
五十嵐善隆の個展を開催

会期中、山形藝術界隈メンバーの後藤拓朗が
旧柏屋にギャラリー「moguru」を仮設。物書き
にして釣り人である五十嵐善隆の個展『沢から
海へ』を開催し、この場が五十嵐の執筆と釣り
の拠点となりました。

山形藝術界隈メンバーが作った
アイテムが買える
ポップアップショップ

毎週土日、根本裕子による陶器ブランド
「SANZOKU」の一風変わった食器、工藤玲那
の使いにくさが日常に余裕を与えてくれる食
器など、山形藝術界隈メンバーにまつわるさ
まざまなものが販売されました。

島袋道浩や池田昇太郎も参加
トーク&弾き語りライブ

9月18日、鮎川エリアキュレーター・島袋道浩と、
市街地エリアキュレーター・有馬かおるを招い
て山形藝術界隈がトークイベントを開催。その
後は山形藝術界隈メンバー・白丸たくトと、大阪
在住の詩人・池田昇太郎による「ことば」をテー
マにした弾き語りライブも行われました。

アートロード
石巻のキマワリ荘
展示企画構成：有馬かおる

—

Art Road
Kiwamari-so in Ishinomaki
Direction: Kaoru Arima

B4-1

—

シマワキユウ

夫婦の対話
2019
石巻のキマワリ荘

—

Yu Shimawaki

Married couple's dialogue
2019
Kimawari-so in Ishinomaki

震災後に石巻に移住して、個人で映像作品を作ってきたシマワキユウの作品は、夫婦の意見対立によって生まれたもの。「結婚し、共同生活をしていく中で、二人の考えをひとつにまとめることに限界を感じました。作品のコンセプトは、『対話による自己と関係性の変容』。モニター上で再生される映像は、夫婦が対話している日常です。ただ、妻の位置には四角形が表示され、次々に動画や写真に移り変わるので、姿をはっきり確認できません。対話が後半に進むにつれ、私の周りに四角形の枠が表示され始めます。最後は、お互いに枠がある状態が一瞬映って終わります。映像はループ再生され、また対話が始まります。対話の習慣は現在も続いています。変化の激しい社会を共に生きるために、今すぐに答えを出すことに固執するのではなく、お互いが変わり続けることが必要であると実感しています」(シマワキユウ)

B4-2

—

ちばふみ枝

家族劇場
2019
石巻のキワマリ荘

—

Fumie Chiba

Family Theater
2019
Kimawari-so in Ishinomaki

石巻市出身・在住のちばふみ枝は、大学で東京へ出た後、震災を機に帰郷しました。「被災した実家は、直すでも壊すでもなく8年が経ち、かつて家族が暮らしていた記憶をとどめながらも、現実の時の流れとともに変化が目につくようになってきました。それは、家の被災を『現在』から『過去』として捉えられるようになってきた私自身の変化とも重なります」（ちばふみ枝）

作品には、ピアノカバーのようなフリンジ、暖簾やカーテンで遊んだような三つ編み、舞台の幕のようなカーテンの造形などが象徴的に取り入れられており、家の記憶を通した家族との関係や状況というような私的なイメージを暗示・彷彿させます。また、その傍らには、家族の近影を使用して作成されたイメージプリント2枚が掲示されています。

本作には、「家」＝「舞台」が破損したほころびの中に、現在の視点から記憶としての物語を見つめつつ、目の前の現実を再考し受け入れ直していこうとする作者の姿勢が表れています。

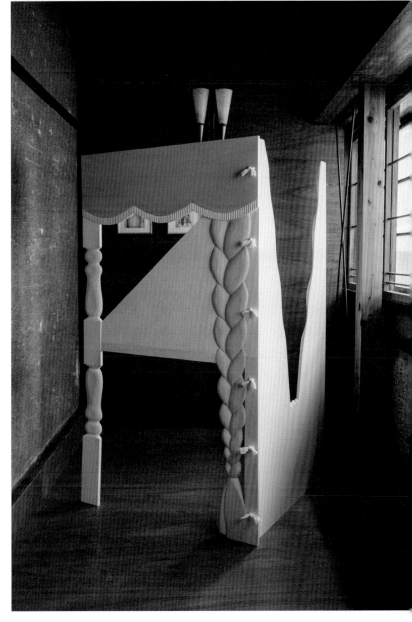

B4-3

—

富松篤

浜とともに
2019
石巻のキワマリ荘

—

Atsushi Tomatsu

Together with the beach
2019
Kimawari-so in Ishinomaki

富松篤は震災後、石巻牡鹿半島の小さな浜（漁村）に移住し、彫刻作品を制作しているアーティストです。

「今回の木彫作品は、私が暮らす浜と、移住する上でお世話になった漁師さんとお婆様がモデルになっています。展示する作品が会期オープン前に完成しませんでした。それによって自身が制作している彫刻と向き合う姿勢が足りなかったと自覚し、これから彫刻家として生きること、作家が彫刻と向き合う姿を示す公開制作を行うことになりました。公開制作中、お客様から沢山の感想をいただきながら完成した木彫作品は、これから彫刻家として生き、制作を続けていく上で重要な作品になったと感じています」（富松篤）

B4-4

—

古里裕美

MOURNING WORK 01
2019
石巻のキワマリ荘

—

Hiromi Furusato

MOURNING WORK 01
2019
Kimawari-so in Ishinomaki

震災後に石巻へ移住した古里裕美は、応急仮設住宅の取り壊しを「私の中での何かしらの『対象喪失（object loss）』でもある」として、その姿を撮影しました。
「会場には、応急仮設住宅の現場からいただいた壁や駐車場の標識なども一緒に展示しました。取り壊しが進み、人々の記憶から薄れていくその存在に光を当てたいという願いから、窓からの自然光を取って写真が後ろから照らされる仕組みにしました。時間帯によっても見え方が違うようになっています。

ちょうど展示会場の隣に真新しいマンションが建ったばかりで、その建物と展示内容の対比がされていて興味深い、という声をいただきました。これは自分では予期していないことでしたが、その偶然が展示のひとつの面白味になったと思います。応急仮設住宅の取り壊し自体は復興への兆しですが、どこか物悲しさや寂しさを感じるという矛盾を表現できたこと、また県外から来た人に知ってもらえたことに意味を感じました」（古里裕美）

B4-5

—

ミシオ

暮らす／路上のゴミに顔を描く
2019
石巻のキワマリ荘

—

Mishio

To live / Draw a face on the garbage
on the street
2019
Kimawari-so in Ishinomaki

リボーンアート・フェスティバル2017を機に石巻へ移住したミシオは、石巻のキワマリ荘内の住居兼アトリエ兼ギャラリー「おやすみ帝国」で展示を行いました。
「空間を認識するにあたって、見えない層のようなもの、現実の空間と脳内で生まれる空間を行き来するために、ライフワークとして路上のゴミに顔を描き、その場所に放置する《路上のゴミに顔を描く》シリーズを制作しています。物は路上に放置されると、ゴミになる→業者に処分されるという一連の過程から脱出する

ことになります。それは輪廻から解脱し悟りを開く仏の姿のようにも見え、また、誰も目に留めないような物事にも人智を超える可能性があることを示しています。
室内には日用品などのオブジェがいくつか置いてあり、その近くにあるQRコードを読み取ると、同じオブジェの《路上のゴミに顔を描く》の記録画像が表示されます。実際の展示は室内ではなく、石巻市の様々な屋外で行われています。顔の描かれた路上のゴミたちは今もどこかにあったりなかったりしています」（ミシオ）

アートロード
ART DRUG CENTER

—

Art Road
ART DRUG CENTER

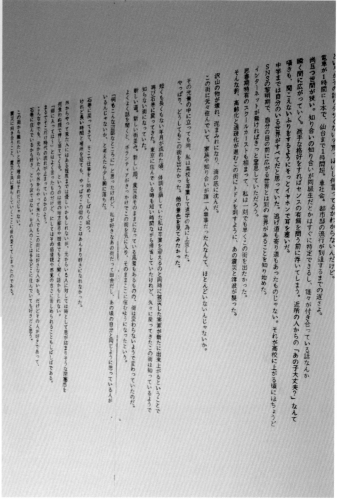

B5-1

—

Ammy

1/143,701
2019
ART DRUG CENTER

—

Ammy

1/143,701
2019
ART DRUG CENTER

1994年に石巻に生まれ、この地で育った Ammy は、写真撮影を中心に活動してきました。
「石巻で暮らしながら誰にも明かせず、しかし耐えきれなくなった苦しみをどうにかしたいという切迫した思いが本作を作るきっかけとなりました。『津波が引いた後も跡となって現在も残り続けているもの』というコンセプトのもと、壁に書いた文章や掲げた写真の高さを、実際にこの空間に来た津波の高さに合わせました。《1/143,701》というタイトルは作品制作時の

石巻市の総人口であり、その中の一人の告白という意味を持ちます。各々が持っている思いや主張は違えど、このタイトルは作者だけでなく作品を鑑賞してくださった全ての人々にも当てはまるものだと、会期中会場を訪れた方々を見ながら感じました。
主にウェブ上で作品を展開していたため、これだけの生の反応を目の当たりにするのは初めてであり、作品を制作・発表できたことによってようやく"震災"という鎖から解放されました」(Ammy)

B5-2

—

守章

Nick 2001/2019
2019
ART DRUG CENTER

—

Akira Mori

Nick 2001/2019
2019
ART DRUG CENTER

1967年に石巻に生まれ、1996年に双子の兄弟ユニットとして活動を開始した守章は、「私」と「他者」を結び、遠ざける各種メディアが生む「距離感」、集団や自治体などの区分けに存在する見えない「境界」を視聴覚化する制作を国内外で行っています。
「プロジェクトNickは人の一生と密接な関係がある『集団』をテーマにした作品です。人は皆、一生のうちに家族、学校、職場などに属し、様々な集団を形成します。本プロジェクトは、仲間と書いた習字、習字を手にした仲間との写真、仲間に付けられたニックネームを収録することで、一人の人間と仲間との関係を記録したものです。写真とサウンドを用いたインスタレーション作品として提示されます」(守章)

B5-3

—

有馬かおる

世界はやさしい、だからずっと片思いをしている。
2019
ART DRUG CENTER

—

Kaoru Arima

The world is kind, so I've been in love with it
one-sidedly
2019
ART DRUG CENTER

「継続と成長、先人からのバトンを中心に『アートによる生きる力』を展示します。今はトラウマや自己治療の中、自分のコトで精一杯だったとしても大丈夫。個の追求の果てに他者性はある。この展示は自分史です。石巻と関係ないじゃん！って思いますよね。でも私は、ずっとこんな展示をしています。その結果、キュレーションをすることになってます。これは不思議でもなんでもなく、全ては繋がってるってことです。当たり前です、今の時間、空間、情報をみんなと共有した社会の中に『私』は在る。今の自分（個）を追求すれば、当然社会と繋がる。『全にして個、個にして全』とか、『陰極まれば陽になる』です。自分のコトにしか思えない作品は、もっと自分と向き合う覚悟が必要だ。自分と真剣に向き合う場所、この展示場（ART DRUG CENTER）はそういう場所になるでしょう。そして、かつて師が私を導いたように、私も歳を重ね、そういう立場に成っていく。受け取ったバトンを渡すために 」（有馬かおる）

B5-4

—

鹿野颯斗

接触
2019
ART DRUG CENTER

—

Hayato Kano

Contact
2019
ART DRUG CENTER

1996年に石巻市で生まれ、育った鹿野颯斗は、2018年に嶋脇佑とユニット「在（ざい）」を組み、石巻のキワマリ荘内の「マニマニ露天」で月に一度展示を行い、活動を始めました。2019年に東北芸術工科大学映像学科を卒業し、石巻市を拠点に作品の制作を続けています。「今回は、この街で作品を作ることの意味や、街の風景と人の関係性を考えるために制作しました。事前に撮影された石巻の風景をヴィデオフィードバックを利用しループさせることで、揺らぎへと変化させ、さらにその揺らぐ映像を音へと変換した作品です。
街の風景を見続けることで、時間の経過と共に人の中で形を失いながらも揺らぎ続けるものが重要なのではないかと考えています。今まで生きてきた場所として、これから生き続けていく場所として、人と街の風景の関係性を再考するものになりました」（鹿野颯斗）

B5-5

—

SoftRib

世の中に反旗を翻した私たちの愛の形
2019
ART DRUG CENTER

—

SoftRib

The form of our love is against the world
2019
ART DRUG CENTER

1991年に石巻に生まれたSoftRibは、2014年に東北芸術工科大学芸術学部美術科版画コースを卒業。ペンによるドローイングや銅版画などさまざまな手法で作品を制作し、ほとんどの作品において生き物の骨を組み合わせ、新たな生物を作り、自身が考える新たな世界を構築。それらの造形物を生活空間に配置して写真に収めることにより、虚実を混在させ、独自の世界観と現実世界を結びつけています。
「『そんな死んだ彼氏のこと、忘れろ』。誰もが

そう言います。私は別れを告げられたわけでもないし、今も付き合ってるものと考えてます。誰がなんと言おうと私は別れません。これは世の中に対する攻撃です。私が忘れなければ彼は永遠に生き続けるし、彼は『死ねば永遠に私と付き合ってることになる』と言いました。死と生が混在してる中でも私たちは愛し合ってるのです。それをこの腐った世の中に知らしめる。私の愛する人は死にました。私たちの関係には『生と死』が狭間にあるだけで、愛の形は何も変わらないのです」(SoftRib)

草間彌生《新たなる空間への道標》

石巻市
Ishinomaki
City

牡鹿半島
Oshika Peninsula

桃浦エリア
MOMONOURA
AREA

—

キュレーター
小林武史

—

Curator
Takeshi Kobayashi

リビングスペース
Living Space

　漁業が盛んな桃浦の海のそばに、「八大龍王」と刻まれた石碑が立っています。航海の安全や大漁を願うこの石碑は、津波により更地となった旧住宅地にポツンと残され、海との間には大きな防潮堤が立てられました。元々海に向かっていた願いの波動がコンクリートの壁にぶつかり、まっすぐ海へは届いていかなくなったわけですが、閉ざされているからこそ、その響きが跳ね返って共振しているように感じられました。何もなければはるか彼方へ消えていってしまうようなものが、その壁があることによって感じられる。僕は音楽をやってきた人間なので、「反射することで響き合うものがある」という音楽的感覚からすると、この状況は音の場として想像を掻き立てるものでもあったのです。防潮堤は「分断の象徴」といわれることもありますが、それ自体は悪意

の塊ではない。守りきれないものを守ろうとしている、コントロールしきれないものをコントロールしようとしていることに、哀しさや虚しさはあっても——。

　一方、桃浦には、2017年にできた宿泊施設「もものうらビレッジ」があります。さらに、その近くの旧荻浜小学校は2014年から休校していましたが、2018年に廃校となり、その校舎をどうしていくかという課題もありました。

　そこで考えたのは、“リビングスペース”をつくるということ。それは、居間／居場所／居住空間であり、過去から未来へ向けて人々が生きる場。想いや記憶はそこに宿り、そして留まります。急激な変貌を遂げながらも未だ強烈に過去の跡や記憶をも残すこの場で、みんなでその響きを感じるため、現在進行形の「リビングスペース＝生きる場」を探るアートプロジェクトです。防潮堤に囲まれたエリアは茶の間のイメージ。暖かさを感じさせるもの、祈りの場、そこから出たり入ったりするもの。ま

た、スペース＝宇宙のイメージから、壮大な時空間を感じさせる作品も設置されました。多様なアーティストによって、人々が居つけるものがいろいろとつくられていったのです。

　そしてこの“リビングスペース”を舞台にプロデュースしたのが、オーバーナイトイベント「夜側のできごと」。ディレクターの中﨑透が彼のインスタレーション作品を中心として、いしのまき演劇祭の方々とともに、旧荻浜小学校からもものうらビレッジ、海岸までのエリア全体を巡るナイトプログラムを展開してくれました。ここに集った様々な人が一晩かけて関係をつくっていくなかで、作品と生活の境界が曖昧に融け合っていくようでもありました。中﨑の作品は桃浦の方々に聞いた話をもとにしていて、「夜側のできごと」には荻浜の漁師さんがゲストに来てくれたりもして、垣根を超えた化学反応によるダイナミズムが生まれたのではないかと思います。

C1

—

久住有生

淡
2019
八大龍王碑付近

—

Naoki Kusumi

Bubble
2019
Around the Monument of Hachidai Ryuo

「全ては、ほんの一瞬の出来事である。何億年も前から続く循環も進化も永遠ではない。一喜一憂する毎日も。生まれてくる事は、儚い」（久住有生）

久住有生は伝統的な左官技術とオリジナティ溢れるアイデアを組み合わせ、国内外で活躍する左官職人。今回は桃浦の海を一望できる高台に、今にも弾け出しそうな鮮やかな青の淡（あわ）を多数点在させ、新しくも懐かしい、不思議な雰囲気に包まれた場所を創造しました。

久住がこの土地の暮らしや自然を意識しながら選んだ素材は土とセメント。それらを混ぜて作った大小の球体は相当の重量があるにもかかわらず、職人技によって発砲スチロールのごとく軽いように見えました。会期中には地面に転がる球体を鑑賞者が手に取り、それをまた思い思いに置いていました。鑑賞者が見て、触れて、感じて、そして記憶を残していくことで、毎日変化する風景がそこにありました。

C2

草間彌生

新たなる空間への道標
2016
タブの木の下

—

Yayoi Kusama

GUIDEPOST TO THE NEW WORLD
2016
Under the Machilus Tree

「赤い炎の色から、全世界と宇宙の中で私たちの未来を暗示するこの作品は、我々に無限大の未来を与え続けているいま、我々は"道標"の強い生命の輝きを永遠に讃歌し続け、深い感動をもって世界中に多くのメッセージを送り続けていくその素晴らしさ。そのことを全人類の人々の心の中に永遠に持ち続けてやまないことを私は信じきっている。この素晴らしい彫刻に対する大いなる感動を、毎日語り続けていく我々の人生観を忘れない。すべて万歳 彫刻よ万歳 赤い彫刻よ万歳」（草間彌生）

被災前から、集落住民の間では桃浦のトレードマーク的な存在であった大きなタブの木。長い月日が作り上げた、自然の荘厳さや生命力が感じられるようなその木の下に、日本を代表する前衛芸術家、草間彌生による立体作品が現れました。草間もこのタブの木をとても気に入り、設置場所が決まりました。さまざまな形をした彫刻は陽炎のように水面に映り、そのエネルギーに呼び寄せられるように、ゲンゴロウやアメンボ、夜には鹿たちが集まり、生命の輝きを讃え歌っているかのようでした。

C3

—

SIDE CORE
(BIEN、EVERYDAY HOLIDAY SQUAD、
リヴァ・クリストフ、森山泰地)

Lonely Museum of Wall Art
2019
防潮堤付近

—

SIDE CORE
(BIEN, EVERYDAY HOLIDAY SQUAD,
Riva Christophe, Taichi Moriyama)

Lonely Museum of Wall Art
2019
Around the Seawall

「津波のあった被災地を訪れれば、否が応でも海岸線に立ち並ぶ巨大な防潮堤を目の当たりにします。そこでは安全性を優先すべきなのか、元々の環境を優先すべきなのか、異なる立場の人々の苦悩の議論が聞こえてきます」(SIDE CORE)
SIDE COREは高須咲恵、松下徹、西広太志によるキュレーションチーム。様々な環境や空間に、時にゲリラ的に作品を展開してきた彼らは今回、BIEN、EVERDAY HOLIDAY SQUAD、リヴァ・クリストフ、森山泰地の4組のアーティ

ストとともに、「MoMA」(The Museum of Modern Art、ニューヨーク近代美術館)ならぬ、「MoWA」(Museum of Wall Art、壁の美術館)を建設。完成したばかりの防潮堤に「過去の歴史と未来の想像力に溢れる表現の種」を植えつけました。会場には、震災の経験から海と距離を置いていたという地域の人々の姿も見られ、彼らが防潮堤の上に仮設されたこの美術館に立つことで、防潮堤の存在を一瞬忘れ、美しい桃浦の海を眺めながら何かを思っているかのような光景もありました。

EVERYDAY HOLIDAY SQUAD

—

都市空間やそこにあるルールに介入するアートチーム EVERYDAY HOLIDAY SQUADは、壁に関わるアートの様々な歴史を記したドローイングや、壁を通してストリートアートを読み解くインスタレーションを発表。

リヴァ・クリストフ

—

ユーモア溢れるグラフィティと漫画による表現
を行うリヴァ・クリストフは、巨大な開発の波に
呑まれていく中国の地方都市でグラフィティ
を通して体験した様々な出来事のアーカイブ
に加え、石巻で制作した新作を展示しました。

BIEN

—

様々なサブカルチャーに見られる記号やキャラクターを解体・再構築し、新しい抽象絵画を作り出そうとするBIENは、防潮堤と同じ高さで設計された彫刻を作り出し、その内側に、中を歩くことで鑑賞できるドローイング作品を設置。

森山泰地

—

森山泰地は「水神」に扮して人と環境の境界
線を具現化させるパフォーマンスをほぼ毎日
敢行。雨でも炎天下でも居続けた森山の存在
は集落の人々の噂の的となり、会期終了間際
には漁師さんが海産物を供えてくれるように
もなりました。

C4

—

パルコキノシタ

命は循環していて、
命は神に送られて
神は命を人に与える。
我々の魂は永遠に続く
2019
リボーンアート・ファーム

—

Parco Kinoshita

Life Circulates.
Life is Sent by the Gods
and Given to People.
Our Souls Continue Forever.
2019
Reborn-Art Farm

「沈黙している神を呼び起こすことができればと思います。牡鹿半島桃浦エリアは震災で人が住めない地域があります。かつての港の賑わいもお祭りも人の営みはもう見ることができません。しかし人がいなくなってもそこにかつて存在した人と神の関係は永遠に続くはずで、命は海から空、それから雨になって再び山へ。山から蓄えられた命の水は再び海へ。この循環の中に我々人間の命もあるはずなのです。津波で犠牲になった魂もまたこの循環の中にあると僕は信じて、海の命は山に半島に草木の息吹の中にも感じるのです。忘れてしまいそうなこの循環の中にあなたも必ずいる。それを感じてもらえたら幸いです」（パルコキノシタ）

2017年のリボーンアート・フェスティバルを機に宮城県に移住し、専門は絵画でありながら、牡鹿半島を拠点に木彫を始めたパルコキノシタ。今回は豚が放し飼いにされたリボーンアート・ファームを背景に、桃浦の杉皮で覆われた豚の神様のような彫刻によって、祈りの場を創り出しました。制作現場では津波で流されたと思しき大量の瓦礫が発見される場面もありました。

C5

—

ジェローム・ワーグ＋松岡美緒

石巻　・自然と食べ物ミュージアム
2019
旧荻浜小学校1F 職員室

—

Jérôme Waag + Mio Matsuoka

The Cultural Ecology Museum
of the Ishinomaki Foodshed
2019
Former Oginohama Elementary
School 1F Staff Room

カリフォルニア州のオーガニックレストラン「シェ・パニーズ」の元総料理長にしてアーティストであり、リボーンアート・フェスティバル2019のフードディレクターも務めたジェローム・ワーグ。そして、世界中の農村に滞在し、食や自然を通じて環境問題に取り組む活動を行う松岡美緒。そんな二人が組み、廃校となった小学校の職員室を、食と自然環境について考えを巡らせることのできる場へ変貌させました。

牡鹿半島にある数々の浜辺を訪れ、そこで出合った大量の漂流物や、動物や魚の骨、その土地で自生している木々や植物などを拾い集めてきた彼らは、それらを使ってインスタレーションを構成。後ろの黒板には、「animals feed in the forest / the forest feeds the ocean / the ocean feeds people / people make tools to feed themselves」（動物は森を生かす／森は海を生かす／海は人々を生かす／人々は彼ら自身を生かすために道具を作る）という手書きのメッセージを記しました。自然光が射し、風や潮の香りが感じられる空間は、人間が自然の循環の中にあることを思い出させる場となりました。

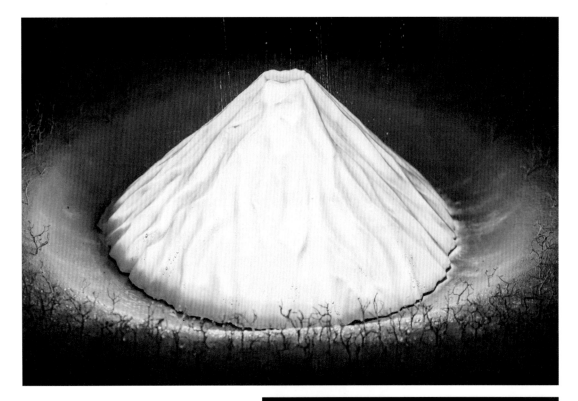

C6

—

村田朋泰

脳舞台
– 語り継ぎ、言ひ継ぎ行かむ、
不尽の高嶺は –
2016
旧荻浜小学校 保健室

—

Tomoyasu Murata

Noh Stage
—Let's Transmit This Beautiful Mt. Fuji
by Word of Mouth-
2016
Former Oginohama Elementary
School 1F school infirmary

「このタイトルは万葉集から拝借した、『神の山』とされる富士山を讃え『旅の無事を祈る』山部赤人の歌です。当時は自然と人間の関係がより密接であり、旅の途中その土地に宿る地霊や死者の魂に供物や鎮魂の歌を捧げ、地霊を慰め精霊の加護を願う風習があり、それに由来するこの歌から着想を得ました。また、人は祈りを捧げる時、それがより身近になるよう神棚やお守りをミニマム化する習慣があったことから能舞台をミニチュア化しました。舞台に置かれた富士山で移ろいゆく『無常観』を表現しつつ、『死者に祈りを捧げる』作品となっています」(村田朋泰)

言葉を排し、繊細な仕草により演出されたコマ撮りアニメーションで知られる村田朋泰。今回は神界、あの世とされる能舞台に富士山を配置し、そこに月光の動きを投影。さらに雨を降らせたり止ませたりすることで、見る者の脳裏に無常の美しさを現しました。またその傍らには、本作と関連性のある映像作品《翁舞／木ノ花ノ咲ヤ森》(2014〜2015年)、《天地》(2016年)、《松が枝を結び》(2017年)を展示。石巻の心の復興を祈り、富士山の加護を願う展示となりました。

C7

—

村田朋泰

White Forest of Omens
2018
旧荻浜小学校 1F 外国語活動室

—

Tomoyasu Murata

White Forest of Omens
2019
Former Oginohama Elementary School
1F Foreign Language Activity Room

「『鏡』は『境』と共通した意味を持っています。『竟』は境目を意味し、漢和辞典には『明暗の境目を映し出す銅製のかがみ』とあります。また、現実世界と鏡の中の世界は左右逆転しているように見えることから『鏡の前にいる世界はこの世、鏡の中の世界はあの世』という解釈もあります。そして、『鏡』『境』には『音』という漢字が含まれます。古代、音の届く限界が集落範囲と考えられていたのかもしれません。これらをヒントに本作品は白い森に鎮座する小高い岩から僅かに聞こえる拍子木の音に始まり、大地に降り注ぐ雨や雷、動物の軌跡を通じて天変地異の『予兆』を光と音で描いています」（村田朋泰）

鏡を境とし、実像と虚像をつなぐ本作は、隣の部屋で展示していた映像作品《松が枝を結び》とも関連しており、そこに現在と未来をつなぐものとして登場したスノードーム、その中にある富士山をクローズアップしたものとして制作されました。なお今回の展示では新たな試みとしてAR機能を使用し、設置されたiPadを白い森にかざすと動物たちが出現し、その行動が観察できるようになっていました。

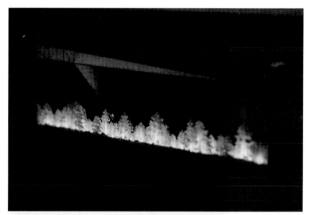

C8

—

中﨑透

Peach Beach, Summer School
2019
旧荻浜小学校2F 全体、プール

—

Tohru Nakazaki

Peach Beach, Summer School
2019
Former Oginohama Elementary
School Entire 2F, Pool

「旧荻浜小や桃浦地区に所縁のある方々のインタビューの言葉を元に、空間と物語を編んでいきます。過去から現在に続く日常の中での、変わらないことや変わること、場所やそこに暮らす生活のようなものが静かに見えてくるような状況を表出させたいと思っています」（中﨑透）

看板をモチーフとした作品をはじめ、パフォーマンス、映像、インスタレーションなど形式を特定せず制作を行う中崎透は今回、旧校舎の2階部分を中心にいくつかの場所を回遊する巡回型のインスタレーションを展開しました。旧荻浜小学校の元校長先生や卒業生、被災した家に住み続ける漁師、口下手なベテラン牡蠣漁師など、老若男女様々な人々の言葉はいたるところに出現し、校内に残されていた備品は展示を構築する要素として使用され、時々流れるチャイムの音、中崎が撮影した校舎裏に潜む蛇の映像などと相まって、懐かしさとユーモアあふれる空間を作り出しました。

夜側のできごと
– Peach Beach, Sunset to Sunrise

—

「森に囲まれた自然多きこの桃浦エリア。目の前に広がる海、かつて子供たちで賑わった旧荻浜小学校で、限られた人数で、太陽のもとでは見ることのできない一晩という時間を体験する。夜、闇、月、眠り、夢、死、星、時間、音、光、海、人間、朝、太陽。普段当たり前のように触れているはずのそれらのできごとにささやかに出会い直すためのヒントのようなものが一夜の中に散りばめられます」（中﨑透）
8月10日から9月28日の毎週土曜18時半から翌朝9時にかけて、小林武史が全体のプロデュースとサウンドを、中崎透がディレクターとして構成やストーリー作成を担当した「夜側のできごと」が行われました。夕方、もものうらビレッジでのバーベキューで観客に混じっていた演者が突如語り出して幕が開けると、中﨑による《Peach Beach, Summer School》の展示会場、屋上、海岸などを巡り、それぞれの環境、そこに対応した音と交わりながら、桃浦の人々の言葉が紡がれていき、ゆるやかなツアー型の、上映のような公演のような展覧会のような、ナイトプログラムとなりました。

C9

—

増田セバスチャン

Microcosmos -Melody-
2018
旧荻浜小学校3F 音楽室

—

Sebastian Masuda

Microcosmos -Melody-
2018
Former Oginohama Elementary School 3F
Music Room

2018年の閉校後、ピアノが撤去された旧荻浜小学校の音楽室。音が響くことがなくなり、どこか寂しげな印象があった場所に、「自分の小宇宙を奏でる」をテーマに作られた、誰でも弾けるピアノが登場しました。

リボンやネックレス、星をモチーフにしたオーナメントなどをたくさん散りばめたカラフルなピアノは、Kawaii文化をコンテクストに作品を制作してきた増田セバスチャンが手がけたもの。Marunouchi GW Festival 2018「Art Piano in Marunouchi」にて制作された本作は、

TRANSIT! Reborn-Art 2018の「Reborn-Art Music Week 小林武史 BGM for the ART with friend＠牡鹿ビレッジ／荻浜」では、牡蠣殻が敷き詰められた白い浜に置かれ、小林武史とミュージシャンたちが音楽を奏でました。

訪れる人々が代わる代わる発する音色は旧校舎に鳴り響き、ピアノの周りでは知らない人同士の会話が生まれ、かつて賑わっていた校舎の姿を想起させました。

※石巻市ささえあいセンターにて常設展示
（公開状況はRAF事務局へお問い合わせください）

C10

—

深澤孝史

海をつなげる
2019
旧荻浜小学校体育館

—

Takafumi Fukasawa

Two seas connected
2019
Former Oginohama Elementary School
Gymnasium

場や歴史、そこに関わる人の特性に着目し、他者と共にある方法を模索する深澤孝史は今回、北海道小平町から運んだ北朝鮮の漂着木造船の一部を使い、供養塔を建立しました。供養塔の扉を開けると、桃浦にある防潮堤と同じ高さの壁に日本海の映像が投影されます。

2018年、日本海に漂着する船の数は急増しました。一方で2019年5月には震災で流された石巻の漁船が高知県で見つかるという出来事もありました。漂着して帰ってこられる船とそうでない船があること、海は恵みをもたらすと同時に人の生きていくことはできない場所でもあることなど、様々なことに思いを巡らせる作品となりました。

「東日本大震災による津波で大きな被害を受けた牡鹿半島に、対岸の海の景色を運ぼうと思います。日の沈む海と大陸から流れ着く様々なものものや人々。海の向こう側を想起する神話的な想像力と存在自体をなかったことにするしかない廃棄物は表裏一体で、海は無意識そのものだと感じます。牡鹿半島の現実にもう一つの現実を接続しようとする試みです」（深澤孝史）

C11

—

アニッシュ・カプーア

Mirror（Lime, Apple Mix to Laser Red）
2017
旧荻浜小学校倉庫

—

Anish Kapoor

Mirror（Lime, Apple Mix to Laser Red）
2017
Former Oginohama Elementary School
Storehouse

1954年にインドのボンベイで生まれ、ロンド
ンを拠点に活動するアニッシュ・カプーアは、
ヨーロッパのモダニズムと仏教やインド哲学
などの東洋的世界観を融合させ、シンプルな
形と独自の素材の選択により、虚と実、陰と陽
など両極的な概念を共存させた彫刻作品で
知られるアーティストです。
赤や黄の色彩、量感のある形状、見る角度に
よって変わる表情が特徴的な本作は、異世界
への入り口を思わせる神秘性をもつ一方、い
まここに命を宿しているかのようでもあり、太
陽の光や熱、人間の臓器や血液などを彷彿
させ、そのてざわりを伝えてくれるようでもあ
ります。
今回の展示場所は、旧荻浜小学校の倉庫。東
日本大震災で津波が押し寄せ、黒板の一部が
浸水し、それによってついた跡がまるで波しぶ
きのようにも見えます。その上に掲げられた作
品は、一見しただけでは凹面なのか凸面なの
かわからず、そこに映る世界は天地が反転して
おり、また見る時間によっても様相が異なり、
鑑賞者を魅了していました。

「ぽっかりあいた穴の秘密：秘密のはなし」の様子

C12

—

増田セバスチャン

ぽっかりあいた穴の秘密
2019
旧荻浜小学校校庭

—

Sebastian Masuda

Gaping Hole Secret
2019
Former Oginohama Elementary School Yard

「『穴』。それは凸凹のぼこ。圧倒的にネガティブな存在である穴が、空に向かってどこまでも突き出ていくとき、それはポジティブになりえるだろうか？　ミヒャエル・エンデ作『モモ』は、円形劇場の廃墟に住みついた女の子の話。モモに話を聞いてもらうと、悩みがたちどころに解決されてしまうので、いつの間にか町になくてはならない存在になりました。穴に降りていくと、そこは誰かの劇場。空を眺めたり、佇んだり、考えごとをしたり。穴の中で誰かの物語を空想しながら、私たちは"ぽっかり空いた穴"をキラキラで満た

していきます」（増田セバスチャン）
旧荻浜小学校の校庭に現れた作品の外観は、色鮮やかでポップな作風で知られる増田セバスチャンのイメージとはかけ離れたものだったかもしれません。しかし、小さな階段を上ってさらに下って、その中に足を踏み入れてみると、驚くほどに鮮やかな世界が広がっていました。9月6日にはここでナイトイベント「ぽっかりあいた穴の秘密：秘密のはなし」を開催。参加者は穴の中で石巻出身のアーティスト宮本悠合による絵本の朗読を聞き、増田と対話しました。

桃浦エリア関連プロジェクト

—

"リビングスペース"にテレビを
「THE WALL TV」

9月14日、桃浦の防潮堤に映像作品を投影する上映会「THE WALL TV 〜 ビデオ制作ノート from 四次元の賢治」が行われました。

防潮堤への映像投影は、今回小林武史が掲げたキュレーションテーマ「リビングスペース」には欠かせないもので、「そもそも防潮堤という壁があることで、新たなスペース、住空間ができているかもという、ネガティブというよりポジティブな発見が僕のキュレーションのコンセプトの始まりだった」と言います。

そこで小林が「見えているものだけでない世界に繋げていく試みが、防潮堤の壁を超えてできるのではないか」として上映したのが、直後に塩竈公演を控えていたオペラ『四次元の賢治 −完結編−』のビデオ制作ノート。さらに、森本千絵と石巻のこどもたちが「石巻に魔法をかけよう」をテーマに、Salyuが歌う「魔法」にのせて制作した映像作品『まほう』も上映されました。

「やっとリビングにテレビが来た」という趣向で行われた上映会には桃浦集落の住民をはじめ大勢の人々が集まり、防潮堤に映された映像に見入っていました。

芸術の原風景を思わせる
桃浦の伝統行事「盆舟おくり」

8月18日、桃浦の漁港で「盆舟おくり」が行われ、
小林武史も参加し、ピアノを演奏しました。
盆舟おくりとは、50年以上前までは牡鹿半島
の各浜で行われていた送り盆の伝統行事。麦
わらで小型の舟を作り、各戸のご仏前からのお
供え物を舟に乗せ、先祖供養の意味を込め海
に流し送ります。桃浦では2018年夏、途絶えて
久しかったこの行事が復活。リボーンアート・
フェスティバルが震災後の浜の復興を担う浜
づくり実行委員会を支援し、共催しました。
復活して2回目となる今回は、新しい舟を送る
だけでなく、前年に作られ、一年間桃浦を見
守ってきた舟を燃やします。日没近くの浜で海
を背景に燃やされその役目を次に渡す舟。新
たにその役目を担っていく舟。その光景に音楽
が重なる様子は芸術の原風景を思わせ、いの
ちのつながりやそのてざわりを感じる時間と
なりました。
当日は洞仙寺の住職、ベテラン漁師など桃浦
に所縁の深い人々をはじめ、アーティストや観
客も集い、大いに賑わいました。

D

名和晃平《Flame》

石巻市
Ishinomaki
City

牡鹿半島
Oshika Peninsula

荻浜エリア
OGINOHAMA
AREA

—

キュレーター
名和晃平

—

Curator
Kohei Nawa

プライマル エナジー - 原始の力
Primal Energy

　荻浜エリアの浜辺の小高い所には、2017年より《White Deer (Oshika)》が常設されています。この彫刻作品と荻浜エリアの特徴である複雑な入り江、そして3つの洞窟をどのように関連付けるかがキュレーションのポイントになると考えました。特に洞窟は戦時中に魚雷を格納するために人工的につくられた穴だからか、岩肌が荒々しく、暴力性と自然が溶け合ったような独特の雰囲気を醸し出しています。下見に行ってまず思い浮かんだのは、40mほどの奥行きの洞窟の暗がりで真っ赤に燃え続けている「炎」のイメージでした。洞窟は、原始的な生活の例として、洞窟壁画や芸術の起源というニュアンスで扱われるなど、様々な比喩として用いられます。「炎」は人間が日常的に用いるエネルギーのひとつである一方で、リスクを伴う原子力発電などの文明技術の比喩として「プロメテウスの火」ともいわれます。洞窟の中で出会う「炎」というものから、何かを感じ、考えるきっかけになるのではないかと思いました。

　このインスピレーションから、荻浜エリアのテーマを「プライマル エナジー - 原始の力」としました。被災地を訪れる度に、震災の爪痕の深さや復興策による様々な弊害などを肌で感じますが、自身が直接的に震災を経験していないため、当事者の大変さを分かったように語ることはできません。「当事者たちを助けたい」という作品を持ち込むのにも違和感を感じてしまいます。そうしたことを芸術と直結させて表現するのではなく、その場所で作家が実際に感じ取り、その場所のために生み出された、より根本的なことを問いかける作品群でエリアを構成したいと思いました。

　参加作家の一人、野村仁は宇宙の起源や生命と宇宙をテーマにした作品をつくる彫刻家で、今回は太陽を見るための装置を新しく制作しました。鑑賞者は「太陽を見る」という行為を通して、人間と太陽、社会とエネルギーの関係、さらに宇宙における太陽と地球の関係を認識し、その中の限られた環境に生命がいるのだ、という視点を共有しました。この装置の入口は真北を示し、洞窟の「炎」と向き合っていることも運命的で、あらゆるエネルギーの源が太陽にあること

を示唆しているようでした。

　また、画家の村瀬恭子、彫刻家の今村源、ビジュアルデザインスタジオのWOWにもそれぞれ現地を訪れてもらい、その場でアイデアを話し合い、プランを練ってもらいながら、作品として具現化させる方法を一緒に探りました。それぞれ異なったアプローチでエリアの特性やコンテクストを取り入れながら、オリジナリティ溢れる作品が生まれました。技術的なハードルが高いものはSandwichの技術スタッフや建築スタッフがサポートをする態勢を整え、構造計算や金属加工、方角の測定や土木工事など、施工に技術が必要なものは専門の会社の協力を得ることで、実現に至りました。

　会期終了間際には、振付師のダミアン・ジャレ、ダンサー、ピアニストの中野公揮との3日間の合同ワークショップを行い、身体と音楽、自然、そしてアートワークとの実験的な融合を果たしました。優れたパフォーマー達が荻浜エリアの各サイトに刻んだ記憶は、映像や写真に残された内容以上のものでした。身体と物質が呼応し合う場は、リアリティに富んだ「プライマル エナジー - 原始の力」そのものであったと言えるでしょう。

D1

—

名和晃平

White Deer（Oshika）
2017
ホワイトシェルビーチ

—

Kohei Nawa

White Deer（Oshika）
2017
White Shell Beach

鹿は古来から「神使」や「神獣」として、アニミ
ズムや神道などの信仰のなかで親しまれてき
ました。近年、日本では鹿が増え続けており、
人里に時々現れる鹿は、「迷い鹿」と呼ばれま
す。《White Deer (Oshika)》はインターネット
上に現れた「迷い鹿」（鹿の剥製）を取り寄せ、
3Dスキャンして得たデータを元に制作されま
した。牡鹿半島・荻浜に立つその姿は遠くの空
を見上げ、旅の原点である瀬戸内海・犬島の
方を向いています。

※常設展示

D2

—

野村仁

Analemma–Slit : The Sun, Ishinomaki
2019
ホワイトシェルビーチ

—

Hitoshi Nomura

Analemma–Slit : The Sun, Ishinomaki
2019
White Shell Beach

野村仁は、写真を主要な制作手法として、時間や重力、天体の運動、宇宙の起源や秩序、生命をテーマにそれらを観測し、普遍的なかたちとして抽出し、知覚することのできる作品を手がけてきた彫刻家です。作品タイトルのアナレンマ（Analemma）とは、均時差※によって1年のうちに太陽の位置が8の字型を描いて運動することです。今回は正午のアナレンマを視覚化するため、荻浜エリアの緯度に合わせて傾けた鉄板を真南に向け、その手前から太陽を見る視点を定め、正午に太陽が見える位置に穴を開けました。作品を体験する際には、太陽光を直視しないよう、安全に配慮して太陽メガネ（遮光板）を使用してもらう設定に。3mほど離れた視点から見て、穴の直径を横切る太陽が見えるのは正午をまたぐほんの1〜2分ほどの間のため、鑑賞者（観測者）にとっては非常に貴重な体験になりました。

「石巻で元気な太陽と目を合わせるプラン。合った刹那、不思議な時間感覚」［野村メモ］

※天球上を一定な速さで動くと考えた平均太陽と、視太陽（真太陽）との移動の差

D3

—

今村源

きせい・キノコ - 2019
2019
ホワイトシェルビーチ沿いの浜

—

Hajime Imamura

Parasitism, Mushroom – 2019
2019
Shore along White Shell Beach

今村源は、京都を拠点に90年代から活躍する
彫刻家で、ドローイングと彫刻の世界を自由
に行き来しながら、世界と自己の意識や身体
との関係に哲学的な思索を加え、様々な素材
や手法で表現している作家です。
今回の展示作品《きせい・キノコ - 2019》では、
荻浜エリアのレストラン「Reborn - Art
DINING」から浜辺をさらに奥へと歩いて行き
着いた先にある、倒れかかった老木をモチー
フとして選び、そこに寄生する新たな生命の形
として昇華するキノコの姿が表現されました。
繊細なステンレスロッドの溶接技術によって
構成したスケルトンモデルは、鮮やかに着彩さ
れ、ヤジロベエのような状態で夏の風に揺ら
れる爽やかな彫刻となりました。
「人知れず寄生、共生の関係を築きながら大き
な循環の一翼を担っている菌類に惹かれてい
ます。(中略)寄生されるといった負のイメージ
が、いつか大きな変化や進化の発端になる力
を含んでいるのかと見ていくと何か開けてい
く思いになります」(今村源)

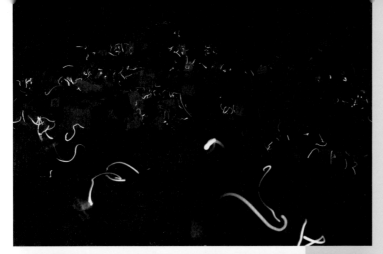

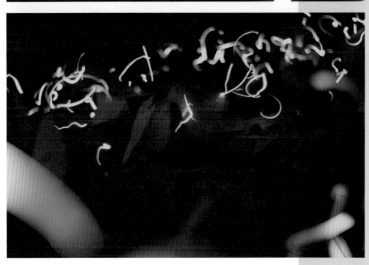

D4

—

WOW

Emerge
2019
ひとつめの洞窟

—

WOW

Emerge
2019
The first cave

ビジュアルデザインスタジオのWOWによる
《Emerge》は、薄暗い洞窟の奥で蠢く光のイ
ンスタレーションです。プログラムによってラ
ンダムに蠢く光が、時にはチラホラと、時には
群体として全体で共鳴し合う様子は、まるで
太古の「もののけ」と出会ったような印象でし
た。普段はコンピュータ・アニメーションを制
作する技術者たちが、アナログな手法も取り
込みつつ、洞窟という原始的な場所で新しい
作品に挑戦することに意義があると感じまし
た。自然光が差し込む洞窟の中で、いかに繊
細な光を見せるか、ということに試行錯誤を重
ねていました。

D5

—

名和晃平

Flame
2019
ふたつめの洞窟

—

Kohei Nawa

Flame
2019
The second cave

《Flame》は洞窟の暗がりの奥で赤く燃え続ける「炎」のような作品です。人類、世界にとって「炎」とは一体何か？という根本的な問いを投げかける場として、戦時中に旧日本軍が魚雷を格納するために掘ったという曰く付きの洞窟を選びました。「炎」は本物ではなく、疑似炎の手法を発展させたオリジナル装置を用いて、濃密な霧を前後3層の気流で巻き上げ、光を当ててマイクロミストの球体にレンズ効果をもたせて発光させることで「炎」に見せる効果を作りました。約1年かけて開発した装置が洞窟に設置されましたが、季節によって異なる洞窟内の湿気や雨量が想定を大きく上回り、内部全体に霧が充満する問題が起こった為、急遽、霧の回収装置を増設しました。大量の霧を発生させながら回収するという矛盾は、現在の地球環境の縮図のようにも感じました……。ともあれ《Flame》という新作がここに生まれました。

D6

—

村瀬恭子

かなたのうみ
2019
みっつめの洞窟

—

Kyoko Murase

Over the sea
2019
The third cave

村瀬恭子は、画家としてドイツでの活動が長く、近年になって日本に戻ってきたところでした。ドローイングや絵画を中心に表現を続けていたためか、初めは荻浜という場所に自分の作品が合うのかどうか戸惑っていたものの、現地を訪れ、磯浜を歩いたり茂みの奥に洞窟を発見したりするなかで、最終的には、植物に半分覆われた洞窟の入口から、洞窟の奥に設置された鏡が反射する光や、内壁に投影されたドローイングのイメージが鑑賞できるインスタレーションを発表しました。それは海岸や波、海を渡る鹿のイメージなど、神話的な雰囲気を醸し出したいくつものドローイングが、洞窟の暗闇の中に静かに浮かび上がるものでした。
「発見者になること、
覗き込むこと、
目を凝らして見ること、
聴こえない音を聴くこと、
遠くから呼応する光。
海のイメージを洞内に持ち込む」（村瀬恭子）

荻浜エリア関連プロジェクト

—

ダミアン・ジャレ + 中野公揮
ダンス・ワークショップ

会期が終盤に向かうなか、振付師ダミアン・ジャレと数名のダンサー、そしてピアニストの中野公揮が荻浜エリアでダンス・ワークショップを実施しました。静かな白い浜辺や洞窟の作品、太陽を観測する装置など、様々な要素が彼らを触発し、ダンスや音楽、そして芸術のあり方が模索されました。ジャレの即興的なアイデアはユニークで、潮の干満を利用して海上に設置されたピアノの周囲で、ピアニストと水中に足を固定したダンサーが波上をステージに見立ててパフォーマンスを行いました。また、森の中の木や植物に巻きついたり、辛うじて生きている状態の浜辺の巨木（おそらく津波により押し流されたもの）に全裸の状態で巻きつき同化したり、全身に泥を塗り岩場の窪みに入るなど、様々なサイトスペシフィックなワークショップが行われました。鑑賞者は自由に見学することが可能で、その風景に巡り合った人は「プライマル エナジー - 原始の力」をテーマとしたクリエーションをより深く感じられたでしょう。

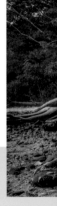

E

志賀理江子《Post Humanism Stress Disorder》

石巻市
Ishinomaki
City

牡鹿半島
Oshika Peninsula

小積エリア
KOZUMI AREA

—

キュレーター
豊嶋秀樹

—

Curator
Hideki Toyoshima

鹿に導かれ、私たちを見るとき
With Deer as Our Guides,
We Look at Ourselves

　小積エリアは、牡鹿半島の真ん中あたりに位置し、湾奥の穏やかな海と山に囲まれた一帯にあります。エリアの入り口には、狩猟で仕留めた鹿を解体し、食肉として処理加工する施設「フェルメント（FERMENTO）」があり、「獣害問題」が深刻化する鹿の駆除を進めるとともに、その鹿を地域資源として大切に活かすべく活動しています。そのフェルメントを管理運営する「食猟師」の小野寺望さんとの出会いから小積エリアの展示は始まりました。

　小野寺さんは、周囲の山を案内しながら、牡鹿半島のことや鹿や猟のこと、この辺りの自然について、初めてここを訪れた僕に話してくれました。山から降りると、とっておきの鹿肉があるんだと、その場で料理してくれたのです。僕はベジタリアンなので、普段は肉は食べないのですが、このときは特別とばかりに鹿の肉をいただき、とてもおいしいと思いました。そして、気のせいなのかしれませんが、しばらくの間、ずっと鹿が僕の体の中にいるような気分になりました。その後もふとしたときに、また鹿のことを考えていたと気づくことが度々ありました。このようなことがあって、参加するアーティストたちにも、僕と同じように小野寺さんと会うところから始めてもらうことにしました。

　リボーンアート・フェスティバル2017でもキーワードだった「鹿」。2019年の小積の展示では、象徴的存在（または比喩的存在）としての「鹿」に導かれ、自然界側の物語から見える世界を巡りました。フェルメントの奥には森に囲われた草地が広がっています。そこに、震災後の石巻や牡鹿半島のあらゆるところで目にし、すでに風景の一部として馴染んでしまったようでもある「プレハブ」を設置しました。訪れた人々は、散らばって置かれたプレハブや周辺の草地や林、そしてフェルメントを巡りながら展示を経験します。ここで、私たちはアーティストたちの作品を通じて、「鹿」に導かれ、「私たちではない」側の目線や意識へと旅することで、私たちの世界を捉えなおします。展示を見終え、再び私たちの世界に戻ったとき、それはもとの私たちの世界ではないように感じたことでしょう。それは、鹿たちの世界に含まれた私たちの世界というべきものなのかもしれません。

　作品展示とは別に、秋田公立美術大学の学生たちによるプロジェクトやアーティストと小野寺さんによるトークと食事のイベントなども開催され、この世界にもうひとつの角度を与えてくれました。

　そして、小野寺さんとの出会いに、直接的または間接的に大きく影響を受けながら制作したアーティストたちは、会期が終わった今もそれぞれに小野寺さんとのやりとりを続けているようです。

E1

—

淺井裕介

すべての場所に命が宿る
@牡鹿のスケッチ
2019
フェルメント周辺

—

Yusuke Asai

Life dwells everywhere
@ sketches of Oshika
2019
Around FERMENTO

淺井裕介は、現地の「土」を使った「泥絵」と呼ばれる壁画制作が印象的な作家です。私たちが生まれ、立ち、そして死んでいく、足元の「土」を素材に、物語を編むように作品を制作します。それは、太古からのメッセージのように私たちの前に現れ、読み解こうとする者の思考と感情を掻き立てます。今回は、会場に設置されたプレハブ内部の壁面と天井、窓を含めた全てを含むオールオーバーな泥絵を現地で制作しました。淺井の描く動植物たちは画面に隙間なく並置され、大きな動物の中に入れ子状に小さな動物が現れたりと、ミクロの中にマクロが存在するこの宇宙の生態系を表しているようにも見えます。「主役はなくて、価値としては全部並列なんです。世界はものすごく小さな粒子の集まりでできていると思うんです。たまたま別の物体なんだけど、ばらけていくと全部同じ。宇宙や植物にも点から始まるリズムみたいなものを感じます」（淺井裕介）

E2

—

在本彌生＋小野寺望

The world of hunting
2019
フェルメント

—

Yayoi Arimoto + Nozomu Onodera

The world of hunting
2019
FERMENTO

各地の衣食住の文化背景にある美を写真に収める写真家・在本彌生と、狩猟や野生食材が育つ背景を伝える食猟師・小野寺望によるRAFのためのプロジェクト。野山に入り、野草を摘み、生き物を追い、それを生きるための糧にする小野寺の生き方を、在本は小野寺に同行し撮影しました。「小積である猟師に出会いました。彼が日頃見て感じている自然の奥にあるものは、私の普段の暮らしの中にあるものとはまるでかけ離れています。彼が体感して

いる自然の生々しさに、少しの恐れと憧れを私は感じます。彼がここで見て、触れて、捉えているものを、写真で捉えました」（在本彌生）。小野寺が管理運営する、ニホンジカの解体処理と牡鹿半島の自然の恵みを伝える拠点「フェルメント」での展示は、大小のパネルを組み合わせた祭壇を連想させるものとなりました。会期中、小野寺は作業場での鹿の解体作業と並行し、会場でカフェの運営、作品説明や施設の案内を行いました。

E3

—

坂本大三郎 + 大久保裕子

いつかあなたになる
2019
フェルメント周辺

—

Daizaburo Sakamoto + Yuko Okubo

Someday It Will Be You
2019
Around FERMENTO

芸術や芸能のはじまりに触れようとする山伏の坂本大三郎とダンサーの大久保裕子によるプロジェクト。その土地のもの語ること、私たち身体のもの語ることを横断し、新たな身体表現作品を発表しています。かつてマツリの場では自然＝神と人の関係が神話によって語られ、そのことにより人々は全てのものとつながりを実感できました。信仰心が薄れ、神話が本当のことであると信じる人がいなくなった社会において、かつての人々のように私たちは芸術や芸能の核心に触れることができるのだろうか、という問いとしての試みです。今回は、プレハブ内にモニターを持ち込んだ展示と同時に、同名の新作パフォーマンス作品の公演を、ダンスにアオイヤマダ、ラップに鎮座DOPENESSを迎え行いました。「マツリの構造、神話、民話、物語を読み込み、分解し、現代を生きる自分たちの目の前にある要素でそれらを再構成する試みを身体表現作品にしました」（坂本大三郎＋大久保裕子）

パフォーマンス公演 いつかあなたになる

―

9月15・16日に上演された新作パフォーマンス作品は、2016年に札幌のモエレ沼公園で発表した「三つの世界」の続編にあたります。坂本は、そこで芸術や芸能の始まりについてこう語っています。「『もの』とは古い時代、自然の中に宿っている霊的なものをあらわす言葉だったと考えられている。彼らの言葉を語ることが『ものがたり』であり、ものがたる『マツリ』を執り行う者の動きからダンスが生まれてきた。原初の信仰ではマツリの場において芸能によって自然と人は結びつき、あるいは生と死の循環が行われると信じられていた」。自然と人の関係を結び直し、現代の我々がそれに触れることができるようなマツリの場を自分たちが作り直したらどうなるかという一つの実験として制作された本作。時代の変遷とともにさまざまな使われ方をしてきた石巻神社の鳥居前と長い石段、その先に位置する彰徳館を舞台に、あるものの死と生まれ変わりの過程に立ち会うこととなりました。

E4

—

志賀理江子

Post Humanism Stress Disorder
2019
フェルメント周辺

—

Lieko Shiga

Post Humanism Stress Disorder
2019
Around FERMENTO

志賀理江子は、自身を取り巻く世界との関わりを写真作品として発表してきました。東日本大震災時に自身が被災者となった経験とつながる「ヒューマン・スプリング」展（東京都写真美術館、2019年）における、人間がコントロールしきれないあらゆる現実と対峙した作品は記憶に新しいものです。今回は、展示エリアの奥で津波の塩害により立ち枯れていた杉を白く着彩し、まるでその先にあるものを狙い撃ったかのような大小の貫通穴をあけ、足元の山肌は近隣の牡蠣養殖場から持ち込んだ20ト

ンにもおよぶ牡蠣殻で覆い尽くし、「写真」の展示のない志賀の作品としては最大規模のものとなりました。タイトルはPTSD（Post Traumatic Stress Disorder）を下敷きにした志賀の造語です。「ここで出会った猟師の小野寺さんとの対話から導き出された、自然と人間社会の複雑な関係を、山肌の木々が朽ちていく様と共にインスタレーション作品として制作しました。写真を撮らなかったのも、作品を環境に残すことにしたのも、自然な流れによることでした」（志賀理江子）

E5

—

津田直

Elnias Forest
2018
やがて、鹿は人となる／やがて、人は鹿となる
2019
フェルメント周辺

—

Nao Tsuda

Elnias Forest
2018
Eventually, Deer Become Men /
Eventually, Men Become Deer
2019
Around FERMENTO

津田直は、世界を旅し、ファインダーを通して古代より綿々と続く、人と自然との関わりを翻訳し続けている写真家です。数年前にリトアニアの森を歩き始め、地方の村々を訪ねているうちに伝承に登場する鹿＝エリナスの存在と出会いました。その鹿は夏至の頃に、角の間に太陽を運んでくるといいます。一方で津田は石巻を訪れる道中、東北に受け継がれてきた鹿踊りを目の当たりにし、そこから新たな旅が始まりました。新たに撮影された鹿の角の写真は、展示エリア周辺の森の木々のようにも見えました。「遠く離れた二つの土地で制作した『Elnias Forest』と『やがて、鹿は人となる／やがて、人は鹿となる』の2シリーズより、鹿を巡る物語として同時に展示しました」（津田直）。プレハブ内を2つのシリーズのために二分し、対照的な構成で展示された別々の物語は、不思議とそこに初めから繋がりのあったかのような想像を掻き立てました。

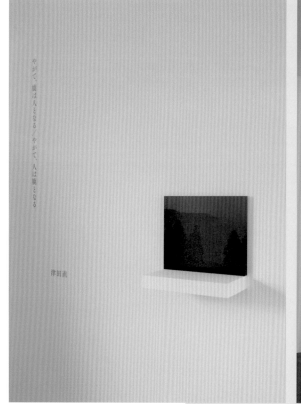

Elnias Forest

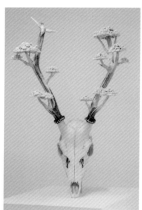

E6

—

堀場由美子

その後の物語 –
He knows everything - Vol.2
2019
フェルメント周辺

—

Yumiko Horiba

He Knows Everything Vol.2
2019
Around FERMENTO

堀場由美子は、獣道を歩いて出会った生命の断片や風景を元に、彫刻、写真、文章で神話的世界を表現します。作品は、祖先からの伝承を想起させるような独自の物語を宿したものとして存在します。今回は、プレハブ内に室内を斜めに二分するステージのような台座を用意し、岩に鹿の毛を埋め込んだものや、鳥の羽を束ねたようなもの、動物の毛皮のようなものが、象徴的な鹿の頭骨を加工した彫刻作品とともに並べられました。それらは、獣たちの生命の断片として私たちに語りかけます。「"私"はかつて存在していた全ての生き物の集合体です。熊や鹿や鳥であった私は4つ足になり、あちら側とこちら側に橋を渡し自由に行き来をし続けます。大地に還ろうと目の前に横たわる鹿には、次なる物語がすでに始まっていました。それは、いずれ皆や私になっていくであろう物語の芽生えでもあり、全ての風景が黙ってそれを見つめていたのです」（堀場由美子）

小積エリア関連プロジェクト

—

秋田公立美術大学
アーツ＆ルーツ専攻
学生プロジェクト「あと 」

積み重ねられた石、切り株に乗せられた鹿の骨。そこにあったのか、誰かがそうしたのか分からないようなものが、会期中、小積エリアのあちこちに点在していました。それは、秋田公立美術大学アーツ＆ルーツ専攻の学生たちによる遊びの痕跡のようなプロジェクト「あと」なのかもしれません。学生たちは、小積に通うたびに、作品と作品でないもの、遊びと仕事、人間と自然といったさまざまな境界を意識させる「あっち」と「こっち」についての模索を重ねました。そして、彼らの思考と行為の痕跡のような、作品未満である「あと」は、「あっち」でも「こっち」でもないその間の領域にひっそりと残されていました。

—

小積エリア アーティストトーク
「鹿に導かれ、私たちを見るとき」

9月16日、石巻市街地のIRORI石巻にて、座談形式のトークイベントを行いました。小積エリアの参加アーティストである在本彌生、小野寺望、坂本大三郎、大久保裕子、志賀理江子、津田直がキュレーターの豊嶋秀樹とともに、それぞれの作品や小積での物語を語りました。

島袋道浩《白い道》

石巻市
Ishinomaki
City

牡鹿半島
Oshika Peninsula

鮎川エリア
AYUKAWA AREA
—

キュレーター
島袋道浩
—

Curator
SHIMABUKU

目をこらす 耳をすます
Gazing and Listening

2011年の大地震で、とてつもなく大きな変化に見舞われた牡鹿半島の鮎川は、現在も行われている復興工事の中で、またもうひとつの大きな変化の時期を迎えています。以前とは全く違う形に作られようとしている町。そんな中でもなくしてはいけないもの、忘れてはいけないものがあると思います。未来に残し、未来の人々に届けなくてはならないものがあります。そこでアートの出番です。

じっと目を凝らさないと見えないもの。じっと耳を澄ませないと聞こえないもの。慌ただしい時間の中では見落としてしまうようなもの。面倒になって捨ててしまうようなもの。鮎川に滞在して、鮎川のことを思いながら、そんなものやことを見つけてこられるアーティストたちに今回来てもらうことにしました。そして遠くからやってくる観客の人たちにも作品を通して目を凝らし、耳を澄まして変わりつつある鮎川の姿を見つめてもらいたい

と思いました。

今回招待した4人は僕が普段からすごいと思っている、僕にはできないことをやっているなと思っている人たちです。結果的に詩人、音楽家、写真家が2人といわゆる美術家のいないメンバーになりました。そんな彼らに今までやったことのない新しい作品を鮎川で作ってくれるようにお願いしました。自分が尊敬する人たちが何か新しいものを生み出す瞬間に立ち会いたいと思いました。そしてアーティストたちが新しい環境の中で新しいことに挑戦し、跳躍する姿は、やはり新しい環境で新しい生活を始めなくてはならなくなった鮎川、さらには東北の人たちにも力や勇気を与えてくれるのではと思ったのです。

そんなリクエストに4人ともとても真摯に取り組んでくれて、それぞれとても長い時間を鮎川で過ごすことになりました。リサーチの期間、どんなことができるかと探し、アンテナを研ぎ澄ましている時の彼らの姿が忘れられません。それは「目をこらす 耳をすます」ということを超

えて体全体を凝らし、澄ましているような感じがしました。目で聞いて耳で見ているような印象さえ僕に抱かせました。「目をすます 耳をこらす」というテーマでもよかったなと今では思います。

全体の展示を作っていく中で意識したのは今ある建物やスペースを見つけて積極的に使う、生かしていくということです。使われなくなった建物や場所にもう一度命を吹き込んでみたいと思いました。鮎川集会所の周りは少し高台になっていて、津波の被害を逃れた建物が残り、地震前の町の姿を想像させてくれます。地震よりもずっと前に閉店していたという商店やお店の建物も何軒かあります。昔は賑わっていたという一角。その場所にもう一度賑わいを取り戻したいと思いました。オープニングの日の陽射しの強い夕方、トークとコンサートのイベントに来てくれた人が道にまであふれました。飲み物を片手に窓ごしに音楽を楽しむ人たち。地元の人たちもたくさん集まってくれました。それは僕がキュレーターを引き受けて、ずっと夢見ていた風景でした。

F1

—

吉増剛造

詩人の家
2019
鮎川集会所近くの成源商店

—

Gozo Yoshimasu

The Poet's House
2019
Narigen Shop near
Ayukawa Meeting Hall

吉増剛造は約2ヶ月の会期中のほぼ全ての日、鮎川に滞在し、午前中と午後の数時間、長い間空き家になっていた成源商店を改装した「詩人の家」で執筆や観客との交流を行いました。細田棟梁によって改装された建物に吉増は大量の書籍を持ち込み、吉増の座る背後の壁面に張り巡らせた平面作品《怪物くん》は詩人ならではの舞台装置のようでした。オープニングでは小林武史とSalyu、会期中はパフォーマーのマリリアや音楽家の野村誠、青葉市子のライブイベントも開催。夕方から

は青葉市子が中心となり、「詩人の家 BAR」として連日営業し、飲み物を注文すれば日替わりで用意された食べ物がついてくるというシステムで、鮎川でとれたクジラ肉などの料理を振る舞いました。会期が進むにつれてこのBARは賑わいを増し、連日やってくる地元の方たちや、仙台から毎週末通ってくる常連さんも数名いました。時には地元の方たちの民謡が飛び出しみんなで盛り上がることも。詩人の家は昼夜を問わず地元の方と観客、そしてアーティストとの交流の場所として機能しました。

詩人の家 BARの様子

Salyu×小林武史ライブ（8月5日）

マリリア＋吉増剛造 詩と歌のパフォーマンス（8月18日）

野村誠＋吉増剛造 パフォーマンス（8月18日）

青葉市子『鮎川のしづく』CD発売記念コンサート（9月15日）

吉増剛造『Mademoiselle Kinkaへ』プレミア上映会（9月23日）

詩人の家　関連プロジェクト

—

吉増剛造と一宿一飯
詩人の家 宿泊棟

この企画は「一宿一飯というものを人々とともにしてみたい」という、準備期間の早い段階で出た吉増剛造の強い要望から実現しました。会期中の約30日、「詩人の家」から徒歩1分の、吉増が住居とする民家「詩人の家 宿泊棟」に1日2組（最大5人）まで完全予約制で宿泊し、より深く詩人の生活に触れていただく、ということで案内を始めました。結果的に吉増は後述の作品《room キンカザン》の制作に早朝から取り組むことになり、会期中は車で10分ほどのホテルニューさか井に宿泊したため、通いで宿泊客と夕食と朝食を一緒にすることになりました。夕食は鮎川でとれたクジラなど地のものを中心とした料理、朝食は吉増が普段から食しているというパパイヤとオートミールの「詩人の朝食」が振る舞われ、宿泊者は座卓を囲み、吉増との親密な会話を楽しむことができました。とても暑い夏で高齢の吉増の健康状態が心配されましたが、最終的に合計76人の宿泊者を迎え、連日、レンタカーを自分で運転し時間通りにやってくる姿には詩人の誠実さと強さが感じられました。

F2

—

野口里佳

鮎川の穴
2019
鮎川集会所近くの新聞屋建物と
その前の空き地

—

Noguchi Rika

Ayukawa Holes
2019
Newspaper delivery station near
Ayukawa Meeting Hall
and the empty lot in front

「鮎川には4つの穴がある」と野口里佳はある日話し始めました。地震以降、鮎川の下水管は分断され、町の4地点の穴から1日に数回汲み取らなければなりませんでした。工事現場の片隅や町のはずれにある、ほとんど人々が注目しない地面に開いた穴とそこで作業する人々の姿に野口は目をとめたのでした。野口は鮎川滞在中、汲み取りの時間ごとに工事の砂埃の中に三脚を立てカメラを構え、作業を担当する牡鹿衛生の人々ともすっかり顔見知りになっていました。
作品は最終的に映像と大きな写真1点で構成され、映像は成源商店の隣のかつて新聞屋だったという建物の中に展示され、大型の立て看板のように作られた大きな穴の写真は、映像の部屋を出てすぐ目に入る空き地に設置されました。
制作中、野口は「鮎川の人と話していると、昔の鮎川の話、それから未来の鮎川の話になって、現在の鮎川のことがほとんど語られない。今の鮎川は工事現場の中に町があるような大変な状況だと思うけれど、私は今ここにも美しいものや面白いものがあるということを見つけたい」と話していました。

F3

—

野口里佳

鮎川の道
2018
クマンバチ
2019
猿と桜
2019
鮎川集会所近くの木村商店

—

Noguchi Rika

The Roads of Ayukawa
2018
Carpenter bees
2019
Monkeys and Cherry Blossoms
2019
Kimura Shop near
Ayukawa Meeting Hall

「虫を怖がって、避けるのではなく、虫と向き合ってみようと思った」（野口里佳）
鮎川の町からコバルト荘跡地に向かう道路が、野口里佳が撮影に時間を費やしたもうひとつの場所です。光と緑にあふれ、しばしば霧に覆われるその場所には、鹿や雉などの動物だけでなく、蚊や蜂、ヒルなどの虫がたくさんいるため、当初野口はその虫たちからどうやって身を守るか、遠ざかるかについて頭を悩ませていました。ある日を境に野口は、その虫たちと写真機を持って向き合ってみることにした、と言います。そしてそこにとらえられたのは、野口に追われ逆に逃げていく熊ん蜂の姿や、風に吹かれながらも懸命に生きる小さな生物の姿でした。作品は昔商店を営んでいたという建物を白い壁のギャラリーのように改装し、展示されました。その建物の外壁にはリサーチで鮎川の対岸の金華山を訪れた時に撮影された、桜の花を食べる猿の大きな写真が展示されました。ちなみに猿が桜の木の上で花を食べているその下には、食べこぼしを狙った鹿たちが待ち構えているそうです。

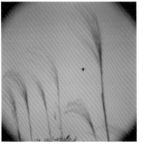

F4

—

青葉市子

風の部屋
2019
鮎川集会所近くの成源商店別棟

—

Ichiko Aoba

Wind Room
2019
Narigen Shop Annex near
the Ayukawa Meeting Hall

「鮎川の土地がうたっています」（青葉市子）青葉は2018年より何度も鮎川を訪れ、聞こえてくる鳥や鹿の声、風の音に耳を傾けました。海で貝殻や鯨の骨を見つけました。インスタレーションはそんな鮎川で見つけ集められた様々な音やもの、青葉自身の声や歌、ドローイングによって構成されました。
「詩人の家」の裏手にある古い民家の扉を開けると、「アイスキャンデー ご自由にどうぞ」と扉に書かれた冷凍庫がまず目に入ります。訪れた人々は冷凍庫を開けて青葉が用意したフ

ルーツ味のアイスキャンデーを食べながら、部屋の様々な場所に描かれた絵や文字を見つけ、どこからか聞こえてくる様々な音や青葉の歌に耳を傾けます。部屋の展示は青葉が鮎川に来るたびにどんどん変化し、まるで部屋の形をした日記帳のよう。青葉の頭の中に入りこんだようでもありました。最終日、青葉は白い絵の具で部屋中の床を星空のようにペイントし、タイトルも「風の部屋」から「星の部屋」へと書き換えました。そして窓には、「つづきをつづけよ」と書かれていました。

F5

島袋道浩

鮎川の土──起きる／鮎川展望台
2019
鮎川集会所3Fバルコニー

─

SHIMABUKU

Soil of Ayukawa──
Arise / Ayukawa Observatory
2019
Ayukawa Meeting Hall 3F Balcony

「鮎川集会所の3階は普段使われていない、人々に忘れられているような場所です。そんな場所でも植物は静かに強く生きています。目をこらすと人々からは雑草と呼ばれるいろんな種類の植物が少ない土を分け合って生きている様子が伺えます。そしてこの場所からは鮎川の町が見渡せ、鮎川の現在を見ることができます」(島袋道浩)
島袋は建物の屋上に点々と並べた白い受け皿に鮎川の様々な所から持ってきた土を盛り、毎日水をやりました。
「ほとんどの土から緑の芽が吹き出し、育つご

とにそれぞれが違う種類の植物だということがわかり驚きました。いくつかの土からは花が咲きました。植物は土の中で眠って水と太陽の光を待っています」(島袋)
本作は2017年のリボーンアート・フェスティバルで島袋が発表した、土嚢袋に入れられても横倒しにされても成長する植物を展示した《起きる》と連なるもの。植物の力強さや多様さに触れた鑑賞者はその思いを胸に鮎川展望台に立ち、"被災地"を新たな目で見ることとなりました。

F6

石川竜一

痕
2019
鮎川集会所3F

—

Ryuichi Ishikawa

Scars
2019
Ayukawa Meeting Hall 3F

「自然が作り出した痕と人の行為の痕。意図せず残ってしまうもの。残そうという意思の元に残ったもの」(石川竜一)
地震の頃のままに放置された、かつて病院だった建物の3階が石川竜一のインスタレーションの場所となりました。石川は鮎川に1ヶ月半滞在した中でポートレイトや風景の写真、様々な写真を撮っていたのですが、最終的に石川が鮎川で制作したもう一つの作品《掘削》の、自分自身が操作するパワーショベルによって削り取られた土の断面の写真を中心に展示を行いました。石川は土の断面に現れる思いがけない色や形に見とれてずっと眺めていたと言います。やはり石川自身の操作するプリンターによって厳密なクオリティーで出力された大型のプリントは病室跡に残る人の気配や痕と共鳴するように配置され、和音や不協和音を奏でていました。

F7

石川竜一

掘削
2019
コバルト荘跡地

—

Ryuichi Ishikawa

Excavation
2019
Former site of Cobalt Inn

「原初的な感覚の再認識。一人一人が感じ考え
ることを尊重すること」(石川竜一)
「何か今までやったことのないことを」という
キュレーターの島袋のリクエストに、石川は
「いつか穴を掘ってみたいと思っていた。なん
の意味もない穴を」と答えました。意気投合
し、石川が自力でスコップを使い穴を掘ること
になりましたが、島袋が指定したコバルト荘跡
地はコンクリート混じりの土でスコップの刃が
立ちませんでした。それでも石川自身で掘るこ
とにこだわった結果、石川はパワーショベル
の免許を取得して穴を掘ることになりました。
石川は1ヶ月あまりの間、鮎川に滞在し一人で
穴を掘り続けました。
最初は大きな丸い穴を掘ることを考えていた
ようですが、掘り進むに連れ、穴の形は複雑に
なっていきました。石川はそれを「自分自身の
煩悩の形」と話していました。穴を掘ると結果
的に山もできます。それは天地創造の現場の
ようでもありました。最終日にはスコップを手
にした石川自身によって穴が埋められ始めま
した。

F8

島袋道浩

白い道
2019
コバルト荘跡地の下

—

SHIMABUKU

The White Road
2019
Below the former site of Cobalt Inn

「白い道は樹木の間を抜け、空へ、海へと延びていきます。金華山が迫り、波の見えるところ、そこに鳥たちはあそんで居るでしょうか？ そこは自然をもう一度発見するところです」（島袋道浩）

牡鹿半島の最南端に、2006年に閉業した国民宿舎、コバルト荘があった時に使われていたと思われる、海に向かう250メートルほどの遊歩道がありました。

「伸びきった草で埋まり、歩けないような状態になっていたところをかき分けて初めて先端に辿り着き、枯れたまま立ち並んだ木々、海、そしてその向こうに見える金華山を見た時、神々しいという感情が自然に起こりました。鳥のさえずりが聞こえ、波の上で鳥があそんでいるのが見えました。昔の人たちもこういう鳥が集まるような場所を大切な縁起のいい場所と思い、聖地として神社、まさに鳥居を建立したのだろうと思いました。『ゼロの鳥居』という言葉が浮かびました。いわゆる鳥居はないけれど鳥の居る聖なる場所。地震後に建てられた防潮堤で海の見えなくなった牡鹿半島で海と向き合える場所になればいいなと思いました」（島袋）

島袋は、まず草を刈り、朽ちた木の階段を付け直し、地面を平らにならした後、30トンもの白い砂利を敷いてこの道を整備し、再生させました。

※常設展示

F9

吉増剛造

room キンカザン
2019
ホテルニューさか井

—

Gozo Yoshimasu

Room Kinkazan
2019
Hotel New Sakai

吉増剛造が鮎川に下見にやってきて、初めて金華山を目にした翌朝、キュレーターの島袋は吉増から、「人生の最後に金華山を題材にした長編の詩を書いてみたい」と大きな決心をしたような厳かな声で告げられたと言います。その声を非常に重く受け取った島袋は、部屋の窓から金華山が目の前に大きく見える牡鹿半島先端のホテルニューさか井（現・島周の宿さか井）の社長に掛け合い、その2階の一室を詩を書くための部屋、展示の場所として使うことを快諾してもらいました。そして吉増に、金華山に重なるようにガラス窓に直接詩を書くのはどうかと提案し、ガラスに書くためのマーカーをプレゼントしました。

太陽の昇らないうちに起き出して、朝一番に詩を書くのが習慣という吉増は会期中、この部屋に宿泊し、毎日詩と展示を更新していきました。吉増の詩はガラス窓だけにおさまらず洗面所の鏡や冷蔵庫の中にまで広がり、部屋全体が一つのインスタレーションのようになりました。観客はフロントで鍵を受け取り、部屋の扉を開けて吉増の気配の残る部屋に入り、作品を体験しました。

※常設展示

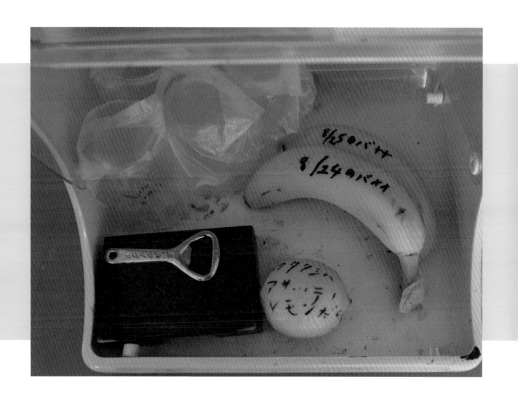

F10

青葉市子

時報
2019
石巻市内からCD-Rに変更

—

Ichiko Aoba

Time Signal
2019
Change to CD-R from
all of Ishinomaki City

石巻市では1日に3度、街角に設置されたスピーカーから時を告げる電子音の音楽が流れます。朝7時には「恋はみずいろ」。正午には「椰子の実」。夕方5時には「家路」。会期中、これらそれぞれの曲はそのままに、青葉市子が自分自身の声を重ねて作った音楽に置き換えられ、時間がくれば石巻市内のどこでも聞くことができるという作品でした。

「しかしそのシステムが防災放送も兼ねており、石巻市の各家庭の中にもスピーカーが設置されていて、望まない人にも1日に3度強制的に聞かせてしまうことになっていたことは把握できておらずキュレーターとしてリサーチ不足でした。8月3日の放送を始めて以来、賛辞とともに、違和感や不快感を感じるという意見も聞こえてきました。青葉さんも僕もこのような形で不快感を与えたいという意図は全くなく、一人でもそう感じる人がいるのなら放送はやめましょうということになり、8月13日の夕方に元の音楽に戻してもらいました」(島袋道浩)展示の見直しの結果、この音源は「風の部屋」で流れていた音や歌とともに会期後半に作られた青葉市子のCD-R作品『鮎川のしづく』に収められました。

鮎川エリアのその他のプロジェクト
—

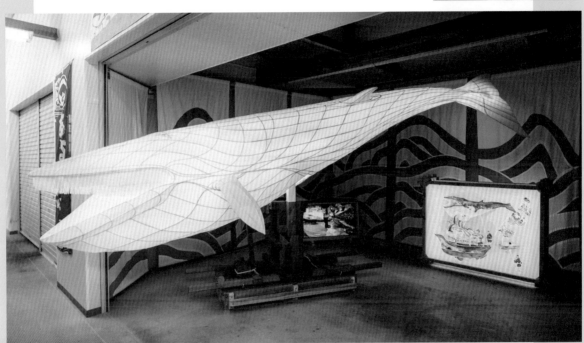

F11

Yotta

~牡鹿コミュニティ・プロジェクト~
くじらのカーニバル
2018–
おしかのれん街

—

Yotta

—Oshika Community Project—
Whale Carnival
2018–
Oshika Noren Restaurant District

2017年に鮎川にまつわる作品を発表し、その後も鮎川の捕鯨文化などをリサーチしているYotta。今回は、2017年に制作したくじらと船のねぶたをリニューアルしたもの、さらにそれらが山車となって鮎川の「牡鹿鯨まつり」で曳かれる様子を描いた行灯を展示。Tカードのプロジェクト「石巻のこどもたちとアートを作ろう」の協力を得たワークショップでは、鮎川小学校の生徒たちが大漁旗を制作し、「おしかのれん街」(2020年3月に閉鎖)と「復興まちづくり情報交流館」であわせて展開されました。

「国際捕鯨委員会(IWC)から日本は脱退し、商業捕鯨の再開が始まりました。政府は、捕鯨支持国と反捕鯨国との膠着状態の長期化に対して『異なる意見や立場が共存する可能性すらないことが残念ながら明らかになった』との談話を発表しており、コミュニケーションが破綻したことを認めました。クジラを食べもし、敬い、祀りもする『鯨まつり』。この町の地霊を呼び覚まし、海と人間の豊かなコミュニケーションの歴史から、私たちが忘れてしまったものを取り戻す必要に駆られています」(Yotta)

G

バリー・マッギー with スクーターズ・フォー・ピース《無題》

石巻市
Ishinomaki
City

牡鹿半島
Oshika Peninsula

網地島エリア
AJISHIMA AREA
—
キュレーター
和多利恵津子・和多利浩一
—
Curator
Etsuko Watari, Koichi Watari

ネクスト・ユートピア
Next Utopia

　「ユートピアは幻想じゃない、必需品なのです」。これは異色のミュージシャン、ビョークが2017年にリリースしたアルバム『Utopia』についてのインタヴューで語った言葉。かつての大国アメリカも、今は闇に沈み方向を見失っています。「ポストアポカリプスの中に居場所を見つけて、ゼロから全てを見直さなければ──。わたしたち自身が未来をつくらないとたどり着けないの」と彼女は続けています。

　2017年の石巻・牡鹿半島での展示を終え、震災の先にある風景を探して網地島に辿り着いた時、このビョークの言葉を思い出しました。この網地島で自分たちの未来をアートで創造できないだろうか。そんな願いと希望が今回のキュレーションのコンセプト「ネクスト・ユートピア」という言葉に結集していったのです。

　舞台となった網地島は牡鹿半島の南西に浮かぶ、住民200人ほどの小さな島です。黒潮の影響で温暖な気候を持ち、暖帯植物が群生し、リゾート地としても人気があります。なんと「東北のハワイ」と呼ばれているとか。上陸した時からここは「ネクスト・ユートピア」にはうってつけの場所になるだろうという予感がありました。

　2019年7月、オーストリアのウィーンからロイス・ワインバーガー夫妻が網地島に到着しました。手付かずの自然、この島特有の植物に魅せられたワインバーガーは、島の各所に7つの作品を展示することを決めます。彼の作品のテーマは「自然の持つ力や美しさ」。聞き慣れた文句のようですが、実はとんでもない未知の世界を指していたことがだんだんとわかってきました。例えば、集落の中の古い納屋。青いトタン板の外壁に、真っ赤なペンキで壁画を描きました。「これは虫が主役です。虫は木に巣食って、動き回り、卵を産み、ついにはその木を殺してしまう。この道筋はそのキクイ虫が動いた跡なのです」（ワインバーガー）。強く美しく、ちょっと奇妙なその壁画は集落の伝説となりました。

　8月に入ると、青木陵子＋伊藤存夫妻がお嬢さんのキーちゃんを連れて島に入ってきました。漁業が全盛期だった頃は人口が3000人以上だったというこの島には蔵のある立派な家が多く残り、主人不在の家の納屋や蔵からこの島の歴史が染み込んだオブジェが次々と見つけ出されました。二人はそれを作品に変身させ、元漁師さんの「秘密の畑」と元駄菓子屋の2つの場所に展示していったのです。

　8月21日のお盆が過ぎた暑い日、島の中心部の「島の楽校」（元中学校）でオープニングの宴を催しました。網地と長渡という2つの集落からおかあさんや漁師さんが大勢集まってくださり、島の御馳走をいただいたり、噺をお聞きしたり大盛り上がりでした。この芸術祭をくまなく見て回り、楽しんでくださっていたのはこの方々だったのかと実感できたのです。

　3.11から8年。震源地に最も近いこの網地島という島で、私たちもアーティストたちも「ネクスト・ユートピア」の気配を感じた夏でした。

　追記：2020年4月、参加作家ロイス・ワインバーガーが突然の心臓発作により亡くなりました。享年73歳でした。ワインバーガーはこの島を愛し、作品を通じて「目に見えない自然の力」を私たちに伝えてくれました。感謝するとともに、心からご冥福をお祈りします。

G1

—

バリー・マッギー with
スクーターズ・フォー・ピース

無題
2019
網地港前のり面

—

Barry McGee with Scooters For Peace

Untitled
2019
Slope in front of Aji Port

サンフランシスコを拠点とするバリー・マッ
ギーは、ペインティング、スカルプチャー、ファ
ウンドオブジェなどを織り交ぜた圧倒的なイ
ンスタレーションで知られ、観る者を惹きつけ
没入させるエキシビションを世界中の美術館
やギャラリーで開催してきました。
この壁画は網地島の玄関口となる網地港の
船着場に面した擁壁に施工され、島に到着し
た人々を迎え入れます。かなり遠くからでも、
強烈な色彩が目に飛び込んで、ユートピアへ
の到着に期待が高まります。バリーの作品のア
イコンであるアルファベットや幾何学模様、顔
などをプリントした布を、高さ20メートル、幅
30メートルの斜面に山肌の凹凸を生かして貼
り付けています。自然の壁を使用した作品とし
ては世界でも初めてのものです。

G2

—

ロイス・ワインバーガー

組織学の断面
2000
木村旅館

—

Lois Weinberger

Histological Section
2000
Kimura Inn

ロイス・ワインバーガーは1947年オーストリア生まれのアーティストです。植物、とりわけ荒地植物（都市の雑草）を主なマテリアルとして、1988年からウィーンの自庭で育てた荒地植物を各所に植えるというガーデン・プロジェクトを始めました。自然と人間との関係性、文化や信仰、そして都市や移民といった現代的な問題も扱い、自然とアートの議論に影響を与え続けてきました。

本作品は、植物の茎の断面に現れる模様をそのままモチーフとしたドローイングです。植物の組織の形状が、まるで人間の顔やガイコツの顔に見えてくることを予想して作られています。また彼は、人間が自然の本当の美しさに気付いていないという点についても指摘しています。

G3

—

ロイス・ワインバーガー

ガーデン
1994/2019
熊野神社

—

Lois Weinberger

Garden
1994/2019
Kumano Shrine

プラスチックのバケツに土を詰め放置すると、もともと土の中にあった種が成長し、庭ができます。海岸に向かって開かれた高台の上、神社の境内に創られたこの庭は、蝶や虫たちが舞う、生き生きとした自然のエネルギーを見せてくれました。
「開けた土地から取ってきた土が詰まったプラスチックのバケツがコンクリートの地面に並べられている。土の中に種があるので／この作品は自ら成長する。時間をかけて、容器の残骸はすべて破片と化していく／繁茂した土地に残る色あせたプラスチック。これらもまた、最後には分解し、それらの最初の色を花だけが覚えている。その後、私の作品はほとんど気づかれなくなる／作者が消える」（ロイス・ワインバーガー）
この作品はポンピドゥ・センター・メス（フランス）など、世界各地の美術館の玄関などに設置され、反響を呼んでいます。

G4

—

ロイス・ワインバーガー

植物の生命
2011
熊野神社

—

Lois Weinberger

The Life of Plants
2011
Kumano Shrine

この映像作品では、間にまなざされることで存在する「植物」という概念に注目します。カメラと植物がぶつかることで、花びらは揺れ、まるで呼吸しているかのように動きます。全体に赤い色彩を加えたことで生命力が溢れ、映像作品の可能性を探求しています。

「私は1920年代に作られた『植物の生命』と題された映画を見ました。その中で、聖霊たちが屋外で踊っているシーンがあり、ルネッサンスの画家ボッティチェリ的な演出が施されていました。私はこの映画に触発され、カメラのレンズに花弁を押し当てて動かしました。カメラが持っている力と戯れたいと思ったのです。展示した空間は熊野神社という神社の中にあり、一種の宗教性がこの映像に加わっています。自然の美というのはとても儚く、根ざす形さえ無くなってしまうかのようです」（ロイス・ワインバーガー）

G5

—

ロイス・ワインバーガー

ある場所
1996
熊野神社

—

Lois Weinberger

A PLACE...
1996
Kumano Shrine

場所／
生が
姿を／
規律越しに
見せる場所／
絶滅は不可能
その不可能が／
繰り返し
絶滅の逆から／
不毛の逆の
もたらしうる結果から／
思い切った未来へ
咲く場所

ワインバーガーは詩人でもあります。スラッシュを多用して文章の区切りを曖昧にし、流れるように書かれた文章は、読者に思索を促します。この壁画の一部は、日本語の文字の美しさに魅せられたワインバーガーが、島の熊野神社の壁に自身で描いています。

G6

—

ロイス・ワインバーガー

私— 雑草——
2004
熊野神社

—

Lois Weinberger

I-weed...
2004
Kumano Shrine

私は雑草
あなたは雑草
彼は雑草
彼女は雑草
それは雑草
われわれは雑草
あなたがたは雑草
かれらは雑草

神社の奥の東屋に詩が掲げられました。
「このテキストは英文で読んでください。というのは、英語の中に多義性が含まれており、それを意図して書いたからです。まずひとつには、weedというのは草、雑草、あるいは煙草として吸う草、そういう意味があります。もうひとつには、このテキストにおいては植物が擬人化されています。古くからの言い伝えによりますと、植物は昔人間に語りかけていたということです。そういったことを表現したいと思いました。また、これは旧約聖書から発想を得ています。全ての肉は草となり……そういうふうに、人間に対して警告を与える文句があります。それを発想の元にしています」（ロイス・ワインバーガー）

宮城県石巻市男鹿半島南西沖に位置するこの島には、
様々なものが運ばれてくる。

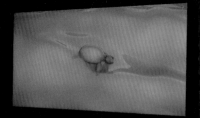

宮城県石巻市男鹿半島南西沖に位置するこの島には、
様々なものが運ばれてくる。

G7

—

石毛健太

この波際
2019
熊野神社

—

Kenta Ishige

Misdistribution
2019
Kumano Shrine

石毛健太はインディペンデント・キュレーター
やDJの顔も持つ1994年神奈川県生まれの
アーティストです。土地やものに紐づく歴史や
物語を読み替えていくことを作品のテーマと
し、都市論の再考をコンセプトとしたグループ
「URG」の一員としても活動しています。
「網地島北西の海岸線に位置する熊野神社境
内の小屋には窓があり、そこからは海に囲ま
れたこの島の波際を見下ろすことができる。寄
せる波は何を島に運び込み、返す波は何を持
ち去るのか。その波際を小屋の中からじっと
眺める」(石毛健太)
窓と同じサイズのディスプレイに映されていた
のは、この島に運ばれてきたというバナナやウ
ミガメが海に漂うCG映像。窓から見える、寄
せては返す波に対する想像を掻き立てました。

G8

—

バリー・マッギー

無題（バス停）
2019
市民バス網地島線「上ノ山」バス停

—

Barry McGee

世界で活躍を続けるバリー・マッギーは、ペインティング、スカルプチャー、セラミック、インスタレーションなど鮮やかな色彩と圧倒的な構成力で、ストリートから美術業界まで幅広いファンを持っています。

マッギーはリボーンアート・フェスティバル2017から参加していますが、牡鹿半島先端にある「のり浜」という海岸が絶好のサーフィンスポットであることが彼を引きつけている大きな要因のひとつです。マッギーは常に海と対話を交わす根っからのサーファーで、早朝はサーフィンをし、午後は網地島に渡り、作品の制作をしていました。

網地島唯一の公共交通として住人たちに長年利用されているバスの待合所は、住人たちの日常の大切なスポットです。そこにマッギーのパワフルなグラフィックやドローイングを表すことは、この芸術祭開催の大事なマーキングとなりました。

Untitled (Busstop)
2019
Bus stop "Kaminoyama" of local Ajishima Line

G9

—

BIEN

幕間
2019
網地島開発総合センター

—

BIEN

Interlude
2019
Ajishima Development Center

BIENは1993年東京生まれのドローイングを表現するアーティストです。ストリートカルチャー、アニメーションやフィギュアから影響を受け、これらの文化の持つ様々な表現様式を受け継いだ抽象絵画制作やインスタレーションを展開し、記号的な意味の解体と再構築を試みています。
「一面に広がるアマ（海）に浮かぶシマ（島）には時間と空間のマ（間）が象徴的に現れるという。本島とは違った時間が流れるこの網地島はたしかにマ（間）を感じさせる魅力的な島だ。その島に一直線に引かれた道の間、中央に佇むこの開発センターは〈間〉の中心点としてシェルターの機能も持ち合わせた島の砦でもある。キャラクターや文字、記号を解体することで認識の境界を描いてきたが、今回は島やそこにある〈間〉をモチーフに壁面全体にドローイングをすることでここを本島と島をつなぐひとつの中継地点として間のあり方を考える」（BIEN）

G10

—

ジョン・ルーリー

ボクは胃痛持ち
2012
網地島開発総合センター

—

John Lurie

My stomach always hurts
2012
Ajishima Development Center

ジョン・ルーリーは1952年アメリカ生まれの
アーティストです。1980年代、ジャズ・バンド
「ラウンジ・リザーズ」のサックス奏者として、
またジム・ジャームッシュ監督の映画で活躍し
た俳優として知られています。1990年代のラ
イム病の発病を機に、以前から描いていた絵
画の制作に活動の場を移しました。
ルーリーの描く世界は一見美しい夢の中のよ
うに見えますが、一方で痛烈な皮肉が込めら
れ、登場する小さな動物たちも小さく弱々しい

ですが、実はマイペースで自由な喜びをもって
います。制作はカリブ海の小島とニューヨーク
で行われており、都会と自然が入り混じったド
ローイングに仕上がっています。
今回それぞれユニークなタイトルとともに展
示されたのは78点の作品。会場の中央では、
漁場・網地島にちなみ、ルーリーがトム・ウェ
イツ、マット・ディロンといった俳優らと世界
各地で釣りをする映画『FISHING WITH
JOHN』が映されました。

G11

—

フィリップ・パレーノ

類推の山
2001/2019
島の楽校の裏手旧校舎

—

Philippe Parreno

Mont Analogue
2001/2019
Former school building at the back of
the Island's outdoor activity school

フィリップ・パレーノは1964年生まれのフラン
スのアーティストです。映像、インスタレーショ
ン、パフォーマンス、ドローイング、彫刻など
様々なメディアを通して、現実とフィクション
の境界、記憶、時間の概念を問いかけます。世
界で今最も注目を集める現代アーティストの
一人です。
本作品はフランスの詩人ルネ・ドーマル（1908
〜1944）の未完のカルト小説『類推の山』から
着想を得ています。レンズのないプロジェク
ターから空間へ、カラフルな光のシークエンス
が展開されます。これは『類推の山』の中の単
語ひとつひとつが、光に転換されたものです。
翻訳のように、何かをある言語から別の言語
へ転換するのは、パレノ作品の特徴のひとつ
です。
「島の夜を体験する 網地島鑑賞ツアー」では、
暗闇のなかに明滅する光とともに規則的な低
音と不規則な高音が鳴り響き、現れては消え
るその存在をよりはっきりと目にすることがで
きました。

G12

—

アラン

限られたフィールドとリソースから見えてくるもの
2019
涛波岐埼灯台への道の入口付近

—

Alan

What you can see from
limited fields and resources
2019
Near the entrance of the road to
Dowameki Cape Lighthouse

アランは1991年鳥取県生まれのアーティスト、ゲームデザイナーで、美術コミューン・パープルルームのメンバーです。ゲームデザイナーとしてボードゲームを制作しながら、ゲームをテーマにした美術作品も制作しています。
「人間は有史以前からこれまでいろんなことをやって生きてきたと思いますが、産業革命以降の発展の速度は上がり続けているように感じます。しかし同時に停滞を感じている人も多いと思います。これはどこに再現性（ルール）を見出せばいいのかがわかりにくくなった

からだと私は考えています。しかし、変化するスパンが短い、再現されたものには適用されないなど、その再現性（ルール）の捉えにくさにも法則はあるはずだと思います。そんなことを考えながら、私はゲームを作ることによってこの世界の法則を描こうとしています。このゲーム盤の上にはこの島のものが駒として置かれているはずです。是非道中で拾った石などを置いたり、動かしたり、持って行ったりしてみてください」（アラン）

網地島エリア制作風景
—

左上：　ロイス・ワインバーガー《小道──場所の破壊的な征服》を
　　　　壁に描く制作チーム
右上：　《ある場所》の文字を書くロイス・ワインバーガー
左下：　港で《針の目》の型枠を搬入する梅田哲也（左）
右下：　バス停に絵を描くバリー・マッギー

G13

—

青木陵子＋伊藤存

海に浮かぶ畑がつくり始めると、
船の上の店は伝言しだす
2019
涛波岐埼灯台への道のかくれた畑

—

Ryoko Aoki + Zon Ito

When the field floating above the ocean
begins to make, the shop on the ship begins
to send word
2019
Hidden field along the road to Dowameki
Cape Lighthouse

青木陵子＋伊藤存は関西出身のアーティスト
で、個々に作品制作を行いながら、2000年よ
りアニメーションを中心とした共同制作を始
めました。青木は動植物や日常の断片、幾何
学模様などをイメージの連鎖で描き、その素
描を組み合わせたインスタレーションを手が
けます。伊藤は刺繍の作品をはじめとして、小
さな立体、粘土絵などを制作しています。
「"海に浮かぶ畑"は、島の元漁師さんが、柿や
フキ、こごみなど、季節の作物を採る自然の畑
として使っている場所です。ここでは漁師のテ
クニックや島の中にある資源を活かしなが
ら、畑でいちから作物を作るように、作品が作
られています。絵を描くために考えられたの

は、掘った土を焼いたピースでつくられた土
絵、漁師の漁網編みのテクニックを使ってつく
られた網絵、増殖していく竹を使ったひご絵、
島の空家から出てきた着物で縫われた小さ
なエピソードを遠くの人に見せる旗絵、倒れた
小屋を引き起こしてつくられた新しい小屋、地
面を這う蔦の紐でつくられた紐絵……島は船
の上のように限られた場所でありながら、長
い航海の時間があれば、様々なものが素材に
変わります。作品は自然の畑の中にほうりこま
れ、それぞれが居心地の良い居場所を探しな
がら、小さな自然との関係を考えています」
（青木陵子＋伊藤存）

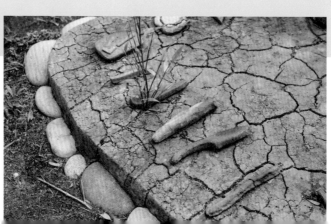

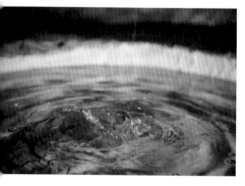

G14

—

梅田哲也

針の目
2019
涛波岐埼灯台付近

—

Tetsuya Umeda

eye of the needle
2019
Around Dowameki Cape Lighthouse

梅田哲也は2000年代初頭から、ありふれた日用品を用いて音や動きを発生させる「現象」をつくり出すライブ・インスタレーションや、場や観客を巻き込むようなパフォーマンスを、美術のみならず、建築や舞台、音楽など分野を跨いで行っています。

大きなレンズのような形をした空間の内部における光と音の効果は、ピンホールと水琴窟の原理に基づいています。音の反響を生むため、地中には島のイシドの浜から集められた石が積まれています。設営場所は涛波岐埼灯台付近で、牡鹿半島のシンボルである金華山を一望できる場所でした。

「穴を掘ることがまずひとつあって、その穴に人が入ることがまたひとつ。穴の上はこんもりとした小さな山で、人はここに立つことができるというのもまたひとつ。入る前と出た後とでちょっとだけ違ってみえる景色があれば、それが穴というものの正体なんだとおもいます」（梅田哲也）

網地島エリア関連イベント

—

<u>島の夜を体験する</u>
<u>網地島鑑賞ツアー</u>

9月22日〜23日、28日〜29日に開催された「島の夜を体験する 網地島鑑賞ツアー」では、通常は昼間しか見られないフィリップ・パレノの作品《類推の山》や、梅田哲也の特別なパフォーマンスを鑑賞しました。

G15

—

真鍋大度＋神谷之康研究室

dissonant imaginary
2019
吉田家の石蔵

—

Daito Manabe + Kamitani Lab.

dissonant imaginary
2019
Stone storehouse of the Yoshida family

真鍋大度は「Rhizomatiks（ライゾマティクス）」を主宰するアーティスト、インタラクションデザイナー、プログラマ、DJです。身近な現象や素材を異なる目線で捉え直し組み合わせることから制作を行いながら、脳を含めた身体研究に関する先端的科学につねにアクセスを試みてきました。また京都大学情報学研究科神谷研究室を主宰する神谷之康は、ヒトの脳活動パターンを機械学習によるパターン認識で解析することで心の状態、視覚イメージや夢を解読する「ブレイン・デコーディング」と呼ばれる技術のパイオニアです。

本作は両者のコラボレーションによるオーディオビジュアルインスタレーションです。聴覚と視覚の相互作用、音と映像の関連性について着目し、音を聴くことで変化する視覚野、連合野の脳活動データを用いて画像を再構成する様子を可視化しています。

「ある映画音楽を耳にした時、また、小さな頃によく聴いていた音楽を耳にした時、その音楽と関連した映像が感情を伴って鮮明に蘇ってきたような経験はないだろうか。音楽は映像体験にどのような影響を与え、またその逆に映像によって音楽体験はどのように変化するのだろうか。映画を観ただけで脳活動から音楽が自動で生成される、または音楽を聴いただけで映像が生成される未来はどのような形で実現されるのだろうか。ブレイン・デコーディングを用いた本作品を通じて未来の音楽と映像の相互作用について考える」（真鍋大度＋神谷之康研究室）

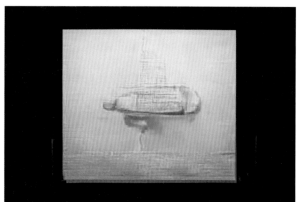

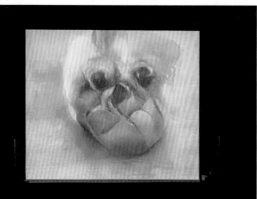

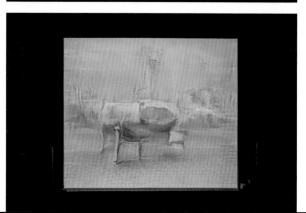

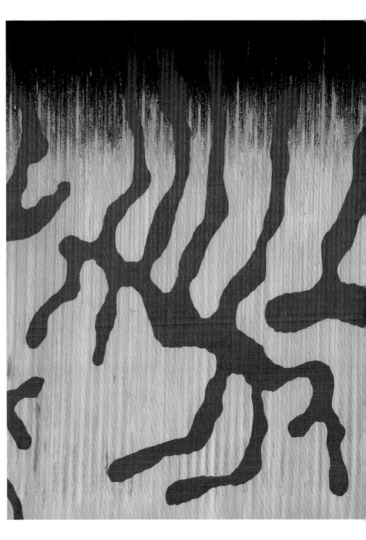

G16

—

ロイス・ワインバーガー

小道— 場所の破壊的な征服
2001/2019
青いトタンの納屋

—

Lois Weinberger

Paths – subversive conquest of area
2001/2019
A blue galvanized-iron shed

キクイムシが樹皮に残す木をかじった跡です。同時に植物の幹と枝、虫の翅に浮かび上がる脈に重ねており、植物と動物は生きものである点で同じだといいます。ときに破壊的に、秩序を越えて自由に進む自然の力は、息苦しい都市に自由なエネルギーを与えます。トタン板で囲まれた小さな小屋の三面に描かれており、建物全体が自然に影響を受けているように見えます。

「キクイムシの道というのは、私にとって、成長のプロセスを表しています。生きとし生けるものすべての成長過程と、キクイムシの道と、木の幹と枝と果物が結びついている。これをもってして小さな宇宙空間のようなものを表現したかったのです」(ロイス・ワインバーガー)

G17

—

青木陵子＋伊藤存

海に浮かぶ畑がつくり始めると、
船の上の店は伝言しだす
2019
旧駄菓子店 奥田屋

—

Ryoko Aoki + Zon Ito

When the field floating above the ocean
begins to make, the shop on the ship begins
to send word.
2019
Okudaya, former candy shop

「船の上の店"メタモルフォーセス"は、かつての駄菓子屋をお店になおし、島の空家で発見したものに何か手を加えることで商品にして販売しています。商品は青木と伊藤によって依頼された様々な土地や職業の人がアイデアや技術を提供して出来ました。商品のあいだには、島で見つかった手仕事（島の漁師は船上の暇な時間に手先の器用さを生かして様々なものを趣味で作ったそうです。漁網を編むことも多いため、編み物も得意だったらしく、自分の子供へのお土産にセーターや靴下を編んだり、ボトルシップや刺繍など、時代によって流行がありました）やドローイングなどの作品も同時に展示されます。店の商品や作品は、数珠繋がりで作られていて、浴衣はバッグに、バッグはスカートに、スカートはドローイングに、ドローイングは鳥かごに、鳥かごは植木鉢になり、延々と続いていきます。ものは、過去の記憶、昔の生活、謎の用途、新しいアイデア、生きている人、死んでいる人、遠い場所、捨てること、なくなっていくもの、あり続けるもの、趣味と仕事、様々な事柄を流動させながら、つくることは増幅し、また新しい場所へ姿を変えてあらわれるでしょう」（青木陵子＋伊藤存）

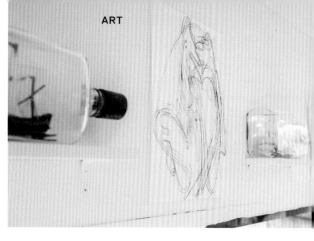

G18

—

ロイス・ワインバーガー

ガーデン
2019
座敷の家の空き地

—

Lois Weinberger

Garden
2019
Unoccupied ground of
the Japanese-style house

ワインバーガー自身の手で、この場所のために考案・制作された作品です。
「これは8枚の金属製の扉で囲った庭です。扉と庭、その組み合わせです。扉というのは閉ざすものであり、その中に閉ざされる人、その外に締め出される人というのがいます。そうしたことから生まれる力を表現した作品です。私は70年代、80年代に、ドイツの哲学者ハイデッガーをずいぶんと読みました。彼の著作に『建てる・住まう・考える』というタイトルのものがあります。そこで彼が『囲う』ということを書いていますが、その時に使っているドイツ語は、einfriedenというもので、ここには平和（Frieden）という文字が入っています。ハイデッガーは意識してこの言葉を使いました」
（ロイス・ワインバーガー）

G19

—

持田敦子

浮く家
2019
米谷家付近

—

Atsuko Mochida

A Floating House
2019
Around the house of the Yoneya family

持田敦子は1989年東京生まれのアーティスト
です。プライベートとパブリックの境界にゆら
ぎを与えるように、既存の空間や建物に、壁面
や階段などの仮設性と異物感の強い要素を
挿入し空間の意味や質を変容させることを得
意とします。

網地島では過疎化や震災によって、持ち主を
失った空き家が多く、持田はその中のひとつ
の家を実際に浮かせ、「宙に浮いた家」という
作品として作り上げました。

「網地島には無人の家が数多く存在する。しか
し、過去にはさらに多くの空き家があったそう
だ。震災後、被災した家屋を解体撤去するた
めの補助金をもとに、それまで空き家だった

家の多くが取り壊された。島で家を壊すため
には、作業に携わる人を島外から呼ぶだけで
はなく、廃材も船で運ばなくてはならないなど
負担が多いため、この機会は有効に活用され
たという。しかしその中でも、持ち主がわから
ない物件や、何らかの事情で解体に踏み切れ
なかった家たちはそのまま残された。かつて
はそこに住んでいた人や、その子どもの、伴侶
の、妹の、だれかが、その家を継いでいるはず
ではあるが、彼らがその家に帰ることはない。
家は宙に浮いている。地に足がつかず、まるで
幽霊のように、見慣れたのっぺらぼうの顔を
通りに向けながら」（持田敦子）

G20

—

浅野忠信

無題
2006–2019
米谷家付近

—

Tadanobu Asano

Untitled
2006–2019
Around the house of the Yoneya family

浅野忠信は、1973年神奈川県生まれの俳優
です。1990年に松岡錠司監督の『バタアシ金
魚』でスクリーンデビューして以来数多くの作
品に出演し、第33回日本アカデミー賞優秀主
演男優賞、第36回モスクワ国際映画祭のコン
ペティション部門最優秀男優賞など、多くの賞
を受賞しています。俳優のみならず音楽家とし
ても活動しています。

本作は近年ますます個性的な演技が光る俳
優、浅野忠信自身が描いたドローイングです。
ハードロック的なものから、デッサン、落書き、
漫画、アメコミ、抽象など多岐にわたっていま
す。浅野忠信がドローイングを描き始めたきっ
かけは、2013年、中国での撮影時の隔離され
た長い待ち時間だったと言います。映画の台
本やスケジュール表の裏、ホテルのロゴの入っ
たメモ帳、薬袋などにボールペンで描き始め、
現在まで6年間、その数は4000枚という膨大
なものになりさらに続いています。日本屈指の
特異な表現者の思考を絵の中に垣間見る時、
実は人間がどこにでもいける自由を持ってい
ることに驚かされ、大きな勇気をもらいます。

G21

—

小宮麻吏奈

蓬莱島古墳
2019
米谷家付近

—

Marina Komiya

Isle of the Immortals tomb
2019
Around the house of the Yoneya family

小宮麻吏奈は1992年アメリカ生まれ、日本在住のアーティストです。クィア性と身体性、時間性というテーマから出発し、現在は主に「人類における新しい生殖の可能性」を自身の身体を起点に、パフォーマンス、映像、インスタレーションなど複数のメディアを通して模索しています。
「『まさか300年もたっていると思わなかった』
『戻ってきて驚いた？』
『3日くらいだと思っていた』
『昔、庭は島とよんだんだって』
『ここも、島なのかな？』
『ここの島の砂は白いね』
『そうだね』
『まぶしいよ』

浦島太郎は海の向こうにゆき、300年後に戻ってきました。そこでは、宴を受ける日々を過ごしたそうです。かつて人々は、古墳を作っている間、『もがり』という宴を行っていました。
それは、人をまだこちら側とあちら側の間にいると仮定し、戻ってくるように、囲み、踊り、食事をする宴です。海の向こうではまだ、宴の最中です。ここは、今も浦島太郎がいる場所……理想郷と、思想を同じくする古墳というモニュメントとが重なる、生者と死者が、現在と未来の間で共に立つための舞台です」（小宮麻吏奈）

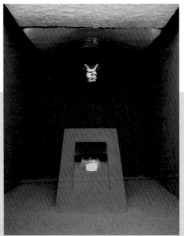

左ページ上：網地白浜海水浴場　下：網地地区インフォメーション
右ページ上：涛波岐（ドワメキ）埼灯台　中：網地島に生えるホワイトプロフュージョンの花　下：網地島ラインの船

OTHER ART
PROJECTS
その他のアート関連プロジェクト

森本千絵が子どもたちと映像作品を制作
「石巻の子どもたちとアートを作ろう」

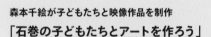

2017年の「リボーン祭り」のやぐらと牡鹿ビレッジの貝殻テーブルづくり、2018年の「リボーン音頭」の4番の歌詞と振付づくりに続いて行われた、Reborn-Art Festival × Ｔカード「石巻の子どもたちとアートを作ろう」プロジェクト。今回は「石巻に魔法をかけよう」をテーマに、子どもたちと森本千絵率いるクリエイティブ集団goen°が映像制作を行いました。「石巻がこんな風になったら」と子どもたちが理想とする街をイラストに。そのイラストのアニメーションや子どもたちが撮影したシーンを、小林武史とSalyuによる楽曲「魔法」にのせてできたのが、

映像作品『まほう』です。
さらに、この制作過程を今中康平監督が撮影。『魔法のかけかた』として、子どもたちが石巻の現在と未来に真正面から向き合っていく様子が収められました。音楽は小林武史が担当しています。
この２つの映像作品は会期中、石巻市街地の旧観慶丸商店で、『まほう』の制作過程で生まれたイラストやオブジェなどとともに公開。『まほう』は文化庁メディア芸術祭・エンターテインメント部門の「U-18賞」を受賞しました。

石巻で飼育された羊たちの毛で
ものづくりワークショップ

8月14・15日、旧観慶丸商店では、石巻で飼育された羊たちの毛を使ったワークショップが行われました。講師は「いとのまき」の吉田麻子さん。いとのまきとは、石巻の個人宅で飼育されている数頭の羊の毛を刈り、糸にし、小物を制作する活動です。会場には、おとぎばなしに出てくるような糸車も。紡いだ糸で花のチャームを作ったり、好きな色の羊毛でイヤリングやピアスを作ったり、羊毛を混ぜてオリジナル紡ぎ糸をデザインしたりと、羊から人間が受ける恩恵を楽しく体感しました。

映画と音楽の独創的コラボを果たした二人
Reborn-Art TALK　岩井俊二 × 小林武史

9月8日、石巻市街地のIRORI石巻で、宮城県出身の映画監督・岩井俊二と小林武史のトークイベントを開催しました。二人は『スワロウテイル』（1996年）や『リリイ・シュシュのすべて』（2001年）のコラボレーションでも知られる盟友同士。「Reborn-Art Festival × apbank fes 2016」のために作られたBank Bandの「こだま、ことだま。」のMVは岩井監督が制作しました。『ラストレター』（2020年）で久しぶりにタッグを組んだ二人は映画と音楽、石巻、東北のことを語り合いました。

アンディ・ウォーホルにつながるデザイン
キュウリでエコに涼しく「キュウリチョイス」

会期中、旧観慶丸商店で「キュウリチョイス」プロジェクトが行われました。夏野菜を食べてクールダウンし地球温暖化防止に貢献しようというこの企画は、環境省が推進する「クールチョイス」に紐づいたもの。石巻の飲食店がレシピを提案するなど地域の人々とも連動しました。9月15日にはトークイベントが行われ、発案者であるクリエイティブディレクター・大木秀晃、「いしのまき元気いちば」のマネージャー・米澤耕也、レシピを提供した中華料理店「揚子江」のシェフ・今野美穂が登場。デザイナー・小杉幸一によるビジュアルは、ウォーホルが手掛けた『The Velvet Underground and Nico』や、BankBandの『沿志奏逢』のジャケットデザインの流れをくんでいます。

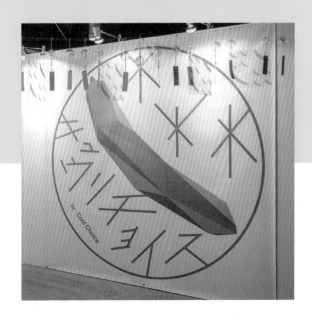

MUSIC

地域やアートと融け合う音楽

オープニングライブ『転がる、詩』に始まり、
オペラ『四次元の賢治 - 完結編 -』や各エリアでのコンサート、
みんなで踊る盆踊り……。
さまざまな音楽家が豊かな自然のなかで奏でる音楽は、
地域やアート作品と融合し、感動を増幅させてくれました。

オープニングライブ

転がる、詩

—

8月3日（土）・4日（日）@石巻市総合体育館

出演: 櫻井和寿、宮本浩次、Salyu、青葉市子、
小林武史（keyboards）、名越由貴夫（guitar）、
TOKIE（bass）、椎野恭一（drums）、
四家卯大（cello）、沖祥子（violin）

セットリスト
青葉市子: かなしいゆめをみたら／レースのむこう／
あわの声／うたのけはい／ひかりのふるさと

Salyu: 回復する傷／悲しみを越えていく色／
HALFWAY／VALON-1／Lighthouse

宮本浩次: 孤独な旅人／風に吹かれて／
普通の日々／翳りゆく部屋／冬の花／昇る太陽／
あなたのやさしさをオレは何に例えよう／
今宵の月のように／悲しみの果て

櫻井和寿: くるみ／Sign／ラララ／ロードムービー／
CANDY／花の匂い／Tomorrow never knows／HERO

櫻井和寿、Salyu（アンコール）:
MESSAGE ―メッセージ―／to U

リボーンアート・フェスティバル2019の初日とその翌日、オープニングライブ『転がる、詩』が石巻市総合体育館で開催されました。この体育館は、震災時は避難所に、震災後はなきがらの安置所になった場所。ここで今回、詩をフィーチャーしたライブを行おうとした理由を発起人の音楽プロデューサー・小林武史はこう語ります。「牡鹿半島の浜をまわって漁師さんたちと話した時に、中島みゆきさんや井上陽水さんの歌が好きだという人たちがいたんです。かつて、ボブ・ディランの影響を受けて陽水さんが詩を書いたり、そうした影響からいろんな形で言葉に向かっていって、音楽がもつ文学性が高まった時代があった。それは櫻井和寿くんにも結びついていたりしますが、そういうものが今ここで必要とされている。アリーナやドームとは違うサイズ感のところで音

楽が息づいている。それが音楽の、"いのちのてざわり"みたいなことだと感じたんです」
青葉市子が登場し、透き通るような声を発すると、うだるような蒸し暑さのなかざわついていた会場が鎮まります。青葉の心音にシンクロして様々な音が鳴り、それが楽器の音なのか、動物の鳴き声なのかわからなくなるような幻想的な瞬間も。スクリーンには歌詞が映され、そこにアーティスト・中山晃子が即興で描き出す「Alive Painting」の映像が重なり、観客を詩世界の奥深くに誘います。
続いて登場したSalyuがまず歌ったのは、Lily Chou-Chou「回復する傷」。歌詞のないハミングのみの曲が、旋律や歌唱の力、そしてそれらと言葉が組み合わさる音楽の力を再認識させます。
宮本浩次は、ステージを縦横無尽に駆け回り

ながら、ハスキーで力強い声で激唱。同時多発テロが起きた2001年のニューヨークで小林と共同制作したという「普通の日々」も披露しました。
最後に登場した櫻井は、Mr.Childrenの楽曲を演奏。イベントタイトルの『転がる、詩』が「転がる石には苔が生えない」ということわざに由来していること、「今も違う感覚で届くような」曲を選んだことを明かし、一方で、「歌詞なんていらないじゃん、と思うこともある」として、「ラララ」を歌いました。
アンコール後は、櫻井とSalyuが再び登場し、Bank Bandの曲を熱唱。この日この場所のために編まれた"詩集"は、歌詞の、音楽の、芸術の可能性、そこにある光を掴み取って進んでいける私たちの想像力の可能性を照らしているようでした。

オペラ

四次元の賢治
-完結編-

—

オペラ『四次元の賢治 -完結編-』
三陸防災復興プロジェクト2019
7月13日（土）@釜石市民ホール TETTO

オペラ『四次元の賢治 -完結編-』
Supported by 木下グループ
9月22日（日）・23日（月祝）
@塩竈市杉村惇美術館

Reborn-Art Festival 2019
- final session in Tokyo -
オペラ『四次元の賢治 -完結編-』
Supported by 木下グループ
9月30日（月）@YAMANO HALL

出演: 満島真之介、Salyu、コムアイ（水曜日の
カンパネラ）、ヤマグチヒロコ、小林武史
声の出演: 太田光（爆笑問題）、櫻井和寿、
青葉市子、安藤裕子、〈友情出演〉細野晴臣

岩手県出身の作家・宮沢賢治の諸作をベースに、思想家・中沢新一が脚本を書き下ろし、音楽プロデューサー・小林武史がオペラに仕上げた舞台作品『四次元の賢治』。2017年に石巻で発表された第1幕に、第2幕と第3幕を加えた完結編が、新たなキャストを迎え、釜石、塩竈、東京で上演されました。

第1幕の舞台は、賢治が住んでいた花巻（岩手県）と、石巻をつなぐ北上川。川蟹が大切にしていたクラムボン（金雲母）の輝きに魅せられた賢治は、それを持ち帰ってしまいます。第2幕では川蟹の化身である蟹沢壽一らと祭りに出かけ、世界の成り立ちとクラムボンの秘密を打ち明けられます。同じ頃、病床に臥せていた妹・トシ子はこの世ならざるところへ。そして第3幕で銀河軽便鉄道に乗り込んだ賢治はトシ子や蟹沢との別れを経て、罪を悔い改めます。

『やまなし』『春と修羅』『インドラの網』『双子の星』『銀河鉄道の夜』といった賢治の作品や賢治の実人生をモチーフとした戯曲では、〈四次元延長のなかでは このことは証明されます〉や〈わたくしは わたくしであって わたくしでない〉、〈サッダルマプンダリーカ・スートラム〉（サンスクリット語で「法華経」の意）などの言葉が繰り返されます。その独特の響きが、小林節とでもいうべきメロディーに乗ることで、際立ち、沁み込んできます。

「宮沢賢治は聖人みたいに扱われているけれど、そんな人ではない」と中沢は言います。「普通の人よりも悩みが大きいし、ときには歪んでいるし、かなり激しい。その矛盾を抱えた精神が、バランスを作り出そうと努力している。そういう宮沢賢治を読み表していきたいと思っていました」。今回賢治役に抜擢された満島真

之介は、その繊細さと激しさをエモーショナルに表現し、観客までも巻き込んでいきました。また、川蟹の兄／蟹沢壽一役を演じたコムアイは柔軟にフェーズをずらしていくかのように新鮮な風をもたらし、とし子役のSalyuと川蟹の弟／虹役のヤマグチヒロコは圧倒的な歌唱力で全体の密度を高めました。

ところで、終盤に「レンマ」という言葉が登場します。自分の前に集められた事物を並べて整理する「ロゴス」に対し、それを包摂する理性として、直観によって事物をまるごと把握する「レンマ」。『四次元の賢治』は、科学の進歩によってロゴスの限界が見えてきている今、逆説的に浮かび上がっている「レンマ」の概念を、賢治の世界、そしてオペラという形を通してまさにレンマ的に体感できるものといえるでしょう。

小林武史によるピアノライブ

BGM
for the ART

ー

8月31日（土）＠荻浜エリア 名和晃平《White Deer（Oshika）》横
9月7日（土）＠桃浦エリア 草間彌生《新たなる空間への道標》横
9月8日（日）＠小積エリア 在本彌生＋小野寺望《The world of hunting》横
9月14日（土）＠桃浦エリア 草間彌生《新たなる空間への道標》横
9月15日（日）＠小積エリア 在本彌生＋小野寺望《The world of hunting》横
9月24日（火）＠網地島エリア フィリップ・パレノ《類推の山》（G11）がある「島の楽校」校庭

前回から続く小林武史の『BGM for the ART』。今回もアート作品や自然からインスピレーションを受け、その空間を音楽で満たしました。9月7日、桃浦ではチェロの四家卯大が、9月24日、網地島では青葉市子が参加。バッハやドビュッシーなどのクラシック曲、青葉の「ひかりのふるさと」、小林が作曲した「Swallowtail Butterfly〜あいのうた〜」「かんしょの歌」「to U」「ひずみ」といった曲が演奏されたほか、即興演奏も行われました。
「BGMのようにほかの要素と関わって成り立つ音の場というのは、本来の音楽の在り方に近い」と小林は言います。「音楽は高密度な方向に向かっていたと思います。聴き手がアーティストに直接アクセス可能みたいなことを含めて、無駄がなくて近い。音も密度が上がって、大きくなって、刺激が強くなる。その全てが悪いとは思わないけれど、本来表現されて伝わるべき気配や“いのちのてざわり”のようなものが感じにくくなっているところもあるのではないかと思うんです。歌詞という言葉をもたないものでも、だからこそ、音楽のもっている気配みたいなものを経験してもらえると思います」
そこに居合わせた人の多くが足を止め、その音楽や環境を楽しんでいました。

クロージングライブ

青葉市子×
小林武史
SPECIAL LIVE

—

9月28日(土)
@旧荻浜小学校校庭

出演: 青葉市子、小林武史、四家卯大

リボーンアート・フェスティバル2019のクロージング前日の28日、青葉市子と小林武史、四家卯大も参加したスペシャルライブが桃浦エリアの旧荻浜小学校校庭で行われました。
演奏されたのは、オープニングライブ『転がる、詩』でも披露された青葉の曲「レースのむこう」「かなしいゆめをみたら」「ひかりのふるさと」などのほか、「奇跡はいつでも」、小林が作詞・作曲したHARUHIの「ひずみ」。
小林曰く、青葉は「先鋭的なジャズプレイヤーのような感性、現代音楽的な音楽の構造の捉え方、一方でその地域に根ざした民衆の歌のような佇まいを持ち合わせていて、少女性だけでなく母性も感じさせる。それらが気持ちの良いゆらぎを起こしている人」
新しさと懐かしさが共存するセッションは、人間も自然の一部であるということや、感性を頼りにしていくことの大切さを思い出させてくれるようでした。

クロージングイベント

リボーンまつり

—

9月29日（日）
@中瀬公園

出演: 山本彩、小林武史、四家卯大、
コンドルズ（近藤良平、山本光二郎、オクダサトシ）、
森本千絵

リボーンアート・フェスティバル2019の終幕を飾る『リボーンまつり』が9月29日、旧北上川に浮かぶ中州の中瀬公園で開かれました。昼間は地元企業や有志によるReborn-Art Festival石巻実行委員会が中心となって企画した「リボーンアート・石巻フェスティバル」が行われ、夕暮れにスタートしたのは「山本彩 with 小林武史SPECIAL LIVE」。山本はAKB48時代にセンターで歌った「365日の紙飛行機」やサザンオールスターズの「真夏の果実」、My Little Loverの「Hello, Again ～昔からある場所～」、小林武史と組んだ新曲「追憶の光」などを小林とともに演奏。そして浴衣に着替えた山本と小林が、アートディレクターの森本千絵と子どもたちがデザインしたやぐらに登場し、『リボーンまつり』が始まりました。

祭りの中心となる「リボーン音頭」は、小林が作曲を、ダンスカンパニー、コンドルズの近藤良平が歌詞と振付を手がけ、2017年に生まれた新しい盆踊り。歌詞の1番は"食"、2番は"音楽"、3番は"アート"、子どもたちとのワークショップで加わった4番は"100年後の夢"がテーマとなっています。子どもたちとのワークショップといえば、2019年にやはり森本千絵と子どもたちで制作した映像作品『まほう』もこの場で上映されました。

やぐらを囲んでみんなで踊るのは、「リボーン音頭」と、Salyuが歌う「魔法」、そして宮城の民謡「斎太郎節」。コンドルズのメンバーによるレクチャーで踊りを覚えたら、あとはひたすら踊ります。アートを求めてきた人も、アイドルを求めてきた人も、そして地元の人も、老若男女が一緒になって踊り回りながら溶け合う、盆踊りの醍醐味を味わう一夜でした。

最後に、"100年後の夢"をテーマにした「リボーン音頭」4番の歌詞をどうぞ。

みんなでえがいたよ
百年先の そう 石巻
どーんなところなの

ゆめを持ち続け
未来にとどけ 宇宙にとどけ
世界が平和だよ

だれかにおーはな（＝お花）あげたいよ
ゆめがはばたく未来だよ

リボーンボンボン アートボン
笑顔もなみだも美しい
リボーン！ とふみならして
リボーン！ でお祭りだ

リボーンボンボン アートボン
笑顔があふれるあつい町
リボーン！ とワを広げて
リボーン！ とつき進む

FOOD

地域を一層深く体感する食

"食が生まれるところ"を探検するイベント、
精鋭の料理人たちが地域の旬をダイレクトに表現するレストラン、
浜のお母さんたちが地元の食材を使った料理を供する食堂。
そして豚を養い、その命をいただくまでを見つめる農場。
様々な食体験を通してこの地を味わいました。

石巻フード
アドベンチャー

石巻・牡鹿半島の食材や自然をめぐり、食し、自らの体を通して発見や学びを得る、食の冒険です。フードディレクターのジェローム・ワーグと原川慎一郎が掲げるテーマは「Before We Cook – the nature of food」。多様な案内人とともに、"食が生まれるところ"を探る参加型イベントとなりました。

「私たちが石巻で使う材料は基本的に自生の食物でした。シーフードは地元で採れる様々な魚と貝。鹿肉、野生のハーブや植物はどこにでもありました。それらはその土地の風景と季節性を豊かに表現していました。例えば、海辺で作ったパエリアにそこで捕まえた小さいカニを使い、鹿肉をクロモジの葉に包んで土の中で蒸し焼きにしたのはいい例です。この豊富な自然の材料がきっかけとなって、参加者が食べ物を口に入れる前にその食べ物を生み出した状況を探索するイベントを思いつきました。それでテーマは『Before We Cook – the nature of food』となりました。石巻は海と陸、川と森が複雑に織り合い、私たちがエコシステムを発見して理解し、その味を楽しむ素晴らしい機会を与えてくれました。フードディレクターとして、材料を集め、料理し、一緒に食べながら、そこの風景や住む人々と親しむ貴重な経験となりました」(ジェローム・ワーグ、原川慎一郎)

ISHINOMAKI
BEER CAMP
—

8月10日(土)・11日(日)
@イシノマキ・ファーム ホップ圃場など

石巻市北上町で自然農法と有機農法を取り入れている「イシノマキ・ファーム」のイベント「ISHINOMAKI BEER CAMP」とコラボ。フードディレクターの原川慎一郎とともに、ビールの苦み・香りづけに使用されるホップを摘み取ります。イシノマキホップやクラフトビール「巻風エール」にまつわるワークショップの後は、追分温泉で汗を流し、石巻の海や畑の恵みとともにビールを。テントや古民家宿「Village AOYA」に泊まった翌朝は、収穫した野菜で朝ごはんを作り、ホップの風味を香り良く引き出した原川オリジナルのホップサイダーも楽しみました。

物語餅

～私たちが思い描く未来を探すために～

—

8月17日（土）・18日（日）
@金華山道の一里塚、金華山など

深刻な飢饉が起きた1858年、三春屋平吉という人物が金華山道の一里塚の石碑に疫病除餅のレシピを刻みました。今回は石巻市街地にあるその石碑を出発点に、今を生きる私たちにとっての「癒し」のレシピを考案し、"物語餅"を作ります。「大衆居酒屋スイスイ」店主・岡内ゆりとジェローム・ワーグの作る軽食を食べ、石碑のレシピを探った後は、石巻に暮らす7人の賢人の元へ。そしてアーティストや料理人が提供した物語や食材から、細かくして味付けした食材を餅で包むというレシピに。でき上がった餅を食べ、翌日には金華山神社に供えました。

FERMENTO 体験入門

〜牡鹿で食猟師がおこなっていること〜

—

8月24日(土)・9月21日(土)
@FERMENTO

鹿の獣害被害が問題となっている牡鹿半島の小積浜に2017年にできた鹿肉処理施設「FERMENTO」。今回の案内人は、ここを拠点に鹿を狩り、さばき、全国に鹿肉を提供しながら食材の育つ背景を伝えている食猟師の小野寺望です。小積エリアのアート作品を鑑賞したら、いよいよ鹿の解体見学、解体体験。冷蔵庫のように冷えた部屋で小野寺のやり方を見つつ、コツや狩猟時の話などを聞きつつ、鹿肉をさばいていきます。そうしてまさしく"いのちのてざわり"を感じた後は、小野寺が調理した鹿肉料理を、ありがたくいただきました。

魚の船のスープ

〜Fish Boat Soup〜

—

8月31日（土）
@もものうらビレッジ、周辺の海

石巻では200種を超える豊富な種類の魚が水揚げされていますが、魚の種類やサイズによっては流通させることができず、「未利用魚」とされてしまうものもあります。今回は漁師の亀山貴一をはじめとする地域の漁師さんたち、そしてジェローム・ワーグが、宮城県水産高等学校の生徒たちと食の問題に取り組みました。漁船で海に出て、前日に仕掛けた籠と網を揚げてみると、様々な種類の小さな魚がたくさん。みんなでさばき、作ったブイヤベースには、多様な魚の旨味が混ざり合い、海の恵みのおいしさが詰まっていました。

牡蠣の育つ海への冒険

~漁師・江刺寿宏、ダイバー・髙橋正祥、
料理人・今村正輝とともに~

—

9月1日(日)
@もものうらビレッジ、荻浜の海

牡鹿半島は牡蠣の一大産地。荻浜では、牡蠣の養殖と採苗に適している地として養殖研究が行われ、現在世界で食べられる養殖牡蠣の8割以上は、ルーツを辿るとこの石巻だといわれています。漁師・江刺寿宏と牡蠣の養殖地に行き、ダイバーの髙橋正祥と一緒にシュノーケリングで潜って見てみると、海の中に牡蠣がズラリ。名和晃平の《White Deer (Oshika)》が見える海に浮かびながら荻浜の牡蠣漁について学べるとは稀有な機会です。「四季彩食 いまむら」の今村正輝による石巻の食材と自然の器を使ったスペシャルバーベキューでは牡蠣も堪能しました。

食猟師と鹿について語り
鹿を食べる。#1

—

9月8日(日)
@FERMENTO

各地の衣食住の文化背景の中にある美を写真に収めるべく世界を奔走する写真家・在本彌生。彼女は今回、牡鹿半島でニホンジカの有害獣捕獲を担い、狩猟や野生食材の採取をしながら、食材の育つ背景を伝える食猟師・小野寺望を追い、その作品を鹿肉処理施設「FERMENTO」で展示しました。この日は改めて在本が小野寺と鹿について語り、小野寺が獲って、さばいて、料理した「鹿スペアリブの煮込み焼き」「鹿肉と季節の野菜のグリル」「鹿出汁のぶっかけ飯」などをみんなで食べ、話を深めました。

食猟師と鹿について語り鹿を食べる。#2

—

9月14日（土）
@FERMENTO

世界を旅し、ファインダーを通して古代より綿々と続く、人と自然との関わりを翻訳し続けている写真家・津田直。文化の古層が我々に示唆する世界を見出すため、見えない時間に目を向ける津田が、食猟師・小野寺望と語り合いました。聞き役は小積エリアのキュレーター・豊嶋秀樹。鹿は現代では人の都合で有害獣として扱われていること、古来は神の使いとして崇められ、現在でもその伝統は一部の地域で息づいていること……。鹿をテーマとした語らいの後は、小野寺が腕を振るった鹿料理を味わいました。

食猟師と歩き、料り、食べ、語る。

—

9月15日（日）
@FERMENTO

食猟師・小野寺望は、日々野山に入り、野草を摘み、生き物を追い、それを生きる糧にする、山とともにある暮らしをしています。そのモットーである「獲って、捌いて、料理して、食べる」をテーマとした今回はまず、小野寺のガイドで原川慎一郎とともに山に入り、獣道を歩きます。匂いや痕跡から鹿の存在を感じ取り、鹿笛で鹿の鳴き声を真似て、するすると木に登る小野寺。FERMENTOに戻ると、朴葉で包んだ鹿肉を泥釜焼きにし、地元食材を使ったシンプルな料理を一緒に作り、食しました。

石巻・牡鹿半島"いのちのいろ"
自然を染める
ネイチャーアドベンチャー
—

9月16日(月祝)
@FERMENTO

染色家・木ノ瀬千晶、牡鹿の山を知り尽くす食猟師・小野寺望と植物を採集して、各自持参した布を染めていきます。FERMENTO周辺で採れたのは、クルミやホオズキ、実山椒、柿、栗など。クルミとそれ以外に分け、煮詰め、好きな方に布を浸けて色をつけます。灰水で色止めし、洗ってみると、意外な色に。原川慎一郎特製の豚肉と野菜のサンドを食べながら、木ノ瀬は「草根木皮 これ小薬／鍼灸 これ中薬／飲食衣服 これ大薬」と中国最古の歴史書『書経』の一節を紹介。草木染めの魅力を語りました。

謝肉祭

～自然の贈与～

—

9月23日（月祝）
@ もものうらビレッジ

桃浦エリアのリボーンアート・ファームでは2019年5月から、養豚家・佐藤剛の監修のもと豚が育てられてきました。今回はそのいのちに感謝する、フードアドベンチャーの締めくくりです。「自然の贈与」という言葉は、中沢新一が考え、小林武史がこのイベントにつけたもの。シャルキュティエ（食肉加工職人）・楠田裕彦と佐藤が豚の生育、海外の伝統的な謝肉祭や、命を余すことなくいただく手法としての加工肉の文化について語り、豚肉料理を作り、四家卯大によるチェロの演奏を聴きながら分かち合いました。

リボーンアート・
ダイニング

荻浜エリアの白い浜に佇むダイニングで
は、フードディレクターのジェローム・ワー
グ、原川慎一郎監修のもと、「素材をダイ
レクトに感じられるシンプルな料理」を
テーマに、ローカルシェフが地元の旬の
食材をふんだんに使った料理を提供。さ
らに、全国から訪れたゲストシェフがそ
れぞれの個性を表現しました。

目黒浩敬が醸造、伊藤存がラベルをデザインしたRAF2019 オリジナルワイン

LOCAL CHEF
松本圭介
DA HORI-NO（宮城県石巻）料理長

LOCAL CHEF
佐藤剛

Fattoria Kawasaki（宮城県川崎）代表

—

MENU
・石巻スペシャルパエリア
・豚肉のグリル（Reborn-Art Farm）
　w/ スパイスケチャップ
・本日のお魚＆キュウリのサラダ w/ サルサヴェルデ
・本日の冷たいフルーツ w/ ミント
　＆フェンネルのグラニテ
　など

ローカルシェフとしてリボーンアート・ダイニングを支えたのが、震災後に石巻を訪れその食材や環境に惹かれ、2015年に「OSPITALITA DA HORI-NO」を開店した松本圭介と、地元・川崎町で自然放牧の養豚を行い、リボーンアート・ファームの監修も担当した佐藤剛の二人。生産者とともに地元食材を活かし、石巻の旬を多彩に表現しました。

GUEST CHEF

川手寛康

フロリレージュ（東京）オーナーシェフ

—

8月17日（土）・18（日）

MENU
・スイカと無農薬トマトのガスパチョ
・南三陸菌床椎茸と蔵王チーズのスープサラダ
・山形県 ひつじやさんの羊肉とクスクスの煮込み
・桃のピューレと三谷牧場さんのソルベ

2009年に「フロリレージュ」を開店し、2019年にはミシュランガイド東京で2つ星を獲得している川手シェフ。「自分の料理人生を大きく支えてくれた三陸の方々、そして素晴らしい食材に感謝しています。そんな思いをここでお返しできれば幸いです」というメッセージとともに三陸の食材をふんだんに使ったフレンチを提供しました。

GUEST CHEF

石松一樹

Maruta（東京）シェフ

—

8月26日(月)・27日(火)

MENU
- 石巻荻浜・江刺さんの牡蠣／エゴマ／生にんにく
- 石巻河北・伊藤さんのクレソンのサラダ／
  自家製ストラッチャテラ
- 南三陸・椎彩杜の椎茸／牡蠣醤油／石巻雄勝・
  今野水産の海苔
- 薪料理：バターナッツ薪焼き／石巻河北町・伊藤
  さんのクルミ／生ハム
- 薪料理：宮城県亘理の伊藤さんの茄子の薪焼き
  ／うに／イカ
- 薪料理：石巻のアナゴのスモーク／リゾット／
  バルサミコ
- 薪料理：石巻小積浜・FERMENTO 小野寺さん
  の鹿の薪焼き／発酵玉ねぎ／パプリカ
- 薪料理：石巻桃浦・Reborn-Art Farm の豚の
  薪焼き／黒にんにく／豚顔のラグー

東京調布の「Maruta」で"ローカルファースト"
をコンセプトに、自家製の保存食や調味料を
使い、薪の火で調理した旬の料理を提供して
いる石松シェフ。薪の火入れのスペシャリスト
によって生み出される料理は、食材の美味し
さをよりダイレクトに感じさせてくれました。

GUEST CHEF

浜田統之

星のや東京 ダイニング（東京）シェフ

—

8月31日（土）・9月1日（日）

MENU
- 冷製コーンスープ ホタテのソテー、アスパラガスの
  アイスを浮かべて 〜あまーい夏の冷たいスープ〜
- フィッシュ＆チップス、ベアルネーズソース
  〜石巻 海と大地の丸ごとフライ〜
- 海のエキスカキフライスープカレー
  〜海女の想いに寄り添って〜
- Reborn-Art Farm 豚肉のグリエ、
  夏野菜を添えて 〜タケシの気持ち！〜
- 桃のカキ氷、サヴァランをしのばせて
  〜ひと夏のあまい想い出〜

「星のや東京」料理長として、「Nipponキュイジーヌ」を提供している浜田シェフ。「石巻は自然が豊かなところで、海も山もあり食材に恵まれた環境です。ここで料理をできることは幸せなことであり、暮らす人たちや生産者、お客様との出会いを楽しみに毎年来ています」として、ネーミングもユニークな料理を展開。また、浜田シェフ率いる「星のや」チームは、8月30日、いしのまき元気いちばで開催された地元の食イベント「夕凪ダイニング」に参加。「アミューズ 石巻の海山川を一皿に」や「桃のコンポート」を供しました。

GUEST CHEF

松岡英雄

割烹 まつおか（京都）店主

—

9月7日（土）・8日（日）

MENU
・地元のかつを節のだし 卵を使った 出汁巻玉子
・梅干し 旨いだしを使った冷たい茶碗蒸し
・戻りカツオのタタキ まつおかぽん酢
・金華サバずし（田伝むし・木村さん／ササニシキ）
・三陸沖 毛ガニ甲羅御飯
・宮城県産日高見牛 ローストビーフ風糸瓜春巻き

季節に応じて旬の食材を使った料理を提供する「割烹 まつおか」店主の松岡は、「関西地方は食文化が多様で、三陸地方の食材も沢山お世話になっています。感謝を込めて料理いたします」と、繊細な日本料理を展開しました。

GUEST CHEF

小林寛司

ヴィラ アイーダ（和歌山）オーナーシェフ

—

9月12日（木）・13日（金）

MENU
・ムール貝のカレー風味
・ヤリイカの炭火焼 赤ワインソース
・アサリのスパゲッティ
・Reborn-Art Farm 豚バラ肉とレンコンのロースト
・鮮魚炭火焼 レモングラス辣油添え
・バターナッツカボチャのプリンアラモード

和歌山県で「ヴィラ アイーダ」を営み、店横に
ある畑で自ら育てた野菜やハーブを使った料
理を供する小林シェフ。「いつも新しい出会い
や刺激をいただいている Reborn-Art
DINING に心から感謝しています。純粋に、こ
の瞬間の出会いを美味しさにしたいと思いま
す」というメッセージとともに、石巻でも、"ここ
でしか味わえない"料理を届けました。

GUEST CHEF
樋口敬洋

サローネグループ（東京）統括総料理長

—

9月16日（月祝）

MENU
- 茹でダコ — Polipo bollito —
- ムール貝、白ワイン蒸し 黒胡椒風味 ゴマパン添え
  — Pepata di cozze —
- 塩雲丹のスパゲティモンデッロ風
  — Spaghetti al ricci di mare —
- ヤリイカのセモリナフリット
  — Fritta di calamari —

イタリア・シチリアで修行経験のあるサローネ
グループ統括総料理長・樋口シェフ。今回のコ
ンセプトは、「シチリア島の海沿いの街にあ
る、海の幸を使った食堂」。「Reborn-Art
DININGのロケーションをシチリアの思い出
に重ね、夢だった『茹でダコ屋』を1日限りで
オープンします！」として、三陸の海の幸を使っ
たイタリア料理を提供しました。

GUEST CHEF
石井真介
シンシア(東京)オーナーシェフ

—

9月22日(日)

MENU
・帆立と雲丹の昆布ジュレ
・小野寺さんの鹿のパイ包み焼き
・石巻の牡蠣のベニエ ベアルネーズソース
・海の幸丸ごと 黄金のブイヤベースごはん
・ずんだマドレーヌの焼き立てたい焼きに
　石巻の胡桃とメープルのパルフェを合わせて

2016年に「Sincère」をオープンし、2019年に
ミシュランガイド東京で1つ星を獲得。2017年
からは水産資源の未来を考えるシェフ集団
「Chefs for the Blue」のリードシェフも務て
いる石井シェフ。「海と山に囲まれた、この地で
料理ができることに感謝しています。僕の料理
で、少しでも笑顔になっていただけたら嬉しい
です」と、食猟師・小野寺望による鹿肉や石巻
の海の幸を生かしたフレンチを展開しました。

リボーンアート・ファーム

桃浦エリアのリボーンアート・ファームは、"いのちのてざわり"を体現する農場。約2,000㎡の土地を整備し、2019年5月から養豚家・佐藤剛監修のもと8頭の豚を放牧で飼育。そこで生育した豚たちは、リボーンアート・ダイニングの料理や、網地島のキーマカレーなどとして会期中に提供されました。農場の前には豚をモチーフにしたパルコキノシタの作品があり、自然の循環、そして人間もその循環に含まれていることを感じさせてくれました。

はまさいさい

萩浜にある「はまさいさい」は、浜のお母さんたちが地元の食材を使った料理を供する、明るく元気な食堂。浜の日々の暮らしや、ここで生きる人たちの優しさやたくましさに想いを寄せ、知恵を集め、関わるすべての人たちとともに新たなにぎわいとなりわいを創り出す、出会いの場を目指しています。今年も一般社団法人フィッシャーマン・ジャパンとの共同運営で期間限定オープン。16種類の素材にそれぞれ異なる味付けを施した「はまちらし」や、荻浜が誇る牡蠣をふんだんに使用した「牡蠣ーマカレー」を提供しました。

MEMORIES
リボーンアート・フェスティバル 2019を巡る思い出

PEOPLE

石巻には、あたたかい笑顔でリボーンアート・フェスティバルを応援して
くれる方がたくさんいます。その一部の方々を紹介します。

木村正さん

リボーンアート・フェスティバルの会期中ほぼ
毎日、石巻駅前で案内をしてくれている木村さ
ん。通称は"木村パパ"。

佐藤秀博さん

石巻で最も歴史ある家電販売店「バナックけ
いてい」を営む佐藤さん。お店の一角を会場と
して提供してくれています。

佐野スミレさん

Reborn-Art Festival × ap bank fes 2016
が行われた年、0歳の時に石巻にやってきたス
ミレちゃん。RAFとともに成長しています。

江刺みゆきさん

"浜の母さん"こと、みゆきさん。荻浜で息子の
寿宏さんたち家族とともに牡蠣養殖業を営
み、荻浜区長としても活躍しています。

遠藤秀喜さん

「ホテルニューさか井」(現・「島周の宿さか井」)
の遠藤社長。吉増剛造《room キンカザン》の
場を提供してくれました。

安住髙雄さん

網地島の長渡地区での開催に協力してくれた
区長(2019年当時)の安住さん。自宅にあった
ボトルシップを見せてくれました。

GOODS

今回は、草間彌生、増田セバスチャン、名和晃平、青葉市子といったアーティストとコラボしたTシャツやタオル、トートバッグなどのほか、木の屋のサバ缶、笠屋菓子店のこけし味噌パン、珈琲工房いしかわのかきあめ、宮城県立支援学校女川高等学園のほや塩といった地元の名物とコラボした食品をラインナップ。各エリアのインフォメーションなどで販売しました。

TOUR

会期中、「リボーンアート・ツアー」として、牡鹿半島と網地島、それぞれを巡る2つのバスツアーを運行。いずれもガイドの話を聞きながら作品を鑑賞し、地の食材を盛り込んだ昼食を楽しみました。また、「そらうみサイクリング」とコラボし、毎週土日に20kmのショートサイクリングを、8月17日には70kmのロングライドイベントを開催しました。

PASSPORT

高校生以上の方には、全作品を見られる有料のパスポートを用意しました。中学生以下は無料ですが、より多くの子どもたちに親しんでもらうため、株式会社日立システムズの協力を得て、スタンプを集めると景品がもらえる「こどもパスポート」を配布。エリアごとに異なる魚や貝、鹿といったスタンプの絵柄は「はんこのnorio」がデザインしました。

"悪い場所"で美意識をもった
「利他」と「自治」による芸術祭
椹木野衣×小林武史 対談

美術批評家にしてキュレーションやアートユニットとしての活動も行う椹木野衣と、リボーンアート・フェスティバル総合プロデューサーの小林武史が、リボーンアート・フェスティバル2019から半年余りを経た2020年5月、新型コロナウイルス感染症拡大防止のため緊急事態宣言が発令されるなか、リモートで語り合った。「震災」と「芸術」についてそれぞれ独自の視点から考え続ける二人が、新たな厄災によって一変した世界の先に見据えるものとは。

<u>"悪い場所"に暮らす</u>
<u>日本人ならではの死生観</u>

小林武史（以下、小林）：椹木さんの連載「遮られる世界 パンデミックとアート」[1]を読ませていただきました。

椹木野衣（以下、椹木）：ありがとうございます。今この緊急事態宣言の間は、週1で書いています。

小林：そこで改めて"悪い場所"[2]という言葉がすごく興味深いと思いました。日本は海に囲まれていますが、海って、魚って、生臭い。僕らは生物として進化のなかで海から上がってきたのは間違いないようですが、今は大量の海水を飲んだら死んでしまうわけで、海ってやっぱりどこか死の世界なんですよね。それで欧米人はその生臭さを消そうとするけれども、日本人は発酵の技術を掛け合わせたりして、死の世界とのやり取りに長けてきた。そうやって生きてきた日本人の死生観は、行ったり来たりして形をとどめてないようなものなのではないかと思うんです。そのなかに、姥捨伝説をテーマにした深沢七

石巻の海

郎の『楢山節考』のニヒルでドライな死の捉え方みたいなもの
もある。それが "悪い場所" という、定まって考えることがなか
なか難しい場所で生きている僕らの特徴のひとつなんだろう
なとも思うし、日本政府のコロナ禍への対応にもつながってい
るようなかんじがするんですね。

椹木：やっぱり欧米とは違うものがありますね。僕が最初に
"悪い場所" に思い当たったきっかけは、1995年の阪神淡路
大震災なんです。それまで僕は批評家としては日本ということ
は考えず、ニューヨークの一番新しいアートの動向を紹介して
いて、それが世界のアートの普遍的なルールなら、それが日本
であるとしたらどんなものになるだろうかということを考えて
いたんですね。だから世界のどこにいても、アートのルールは
ユニバーサルな価値観として評価も鑑賞もできると考えてい
た。そこに阪神淡路大震災があって、ものすごくショックでし
た。一番衝撃だったのは、わずか数十秒揺れただけで「都市」
が壊滅するということ。これは欧米のような「都市」といえるの
か？と思ったんです。この時は神戸でしたが、それは東京でも
同じこと。我々はそこを「都市」と考え、その上に美術館をはじ
め様々な生活の基質を造っているけれど、1分に満たないよう
な揺れで崩れるものは、欧米でいうところの「都市」と同じよ
うには考えられない、別の角度から考えないとダメなのでは
ないかと。つまりニューヨークで最先端と考えられていた当時
の美術批評をそのまま日本列島の美術に適用するのは相当
無理があって、欧米のような美術館や美術市場やギャラリー
を造ろうとしても潜在的には次の瞬間に崩壊するリスクを抱
えている土地ならではの表現を考えないとダメなのではと
思って。前提となる「戦後美術」「前衛美術」「現代美術」といっ

た言葉も欧米のものを日本語に翻訳して使っているけれど
も、その根底にはすごく大きな違いがあって、それらについて
考えていかなければいけないと思ったんですね。

小林：なるほど。日本列島は大陸ではなく、縁（へり）だったところな
わけですしね。

椹木：そうですね。小林さんがおっしゃった通り、日本は周囲
を海に囲まれていて、プレートが押されて膨れ上がり、タツノ
オトシゴみたいな形になった。その中央に火山帯が走ってい
て、太平洋側は一万メートルクラスの深さがあるし、地学的に
はものすごく複雑です。随所に半島、湾、内海、離島があって、
そこで人々が生活している。さきほど深沢七郎の話が出まし
たが、日本列島は狭いけれども、昔の人は山ひとつ向こう隔
てた村のことはなにも知らなくて、山越えの時は鬼が出る、
悪蛇（あくじゃ）が出るといって、気軽に行くこともままならなかった。随
所にそういう悪い条件があるわけですよね。でもその悪い条
件が、姥捨て伝説や鬼や妖怪といった民俗学が研究している
ような日本独自の文化的なイメージを作ってきた。それは近
代化以降、失われたということになったのだけれども、地質
学的特徴は全然変わってなくて。それが水面下で受け継がれ
て、最新のアートにも生活にも何にでも必ずどこかで痕跡が
残っている。それをもう一度欧米とは異なる観点から考える
必要があるんじゃないかと。そういうところから、"悪い場所"
という言葉も出てきたんです。ところがこんどは2011年に東
日本大震災が起きて、もっと大きな次元で『震美術論』[*3]を書
かざるを得なくなった。その延長線上に今回のパンデミック
もあります。「遮られる世界　パンデミックとアート」も基本的
には同じような考え方から今回の新型コロナの事態を考え

石巻での網漁の様子

ていこうと思って始めました。

日本を外から見たオノ・ヨーコの「地震」と「引きこもり」の捉え方

小林：連載で触れられていた、オノ・ヨーコさんの〈日本での引きこもり習慣には、西洋にはない正当な態度表明がある〉という話も面白かったですね。欧米は人と交わってポジティブに積み上げていくことを正当としてきたけれど、それがグローバルになるといろんな弊害があるわけですよね。大航海時代から、植民地主義、グローバリズムとずっと受け継がれてきたそれが押しよせてきたなかで、日本人は引きこもって抵抗のようなものを見せていたのかもしれない。それが今パンデミックとなったこの状況にフィットしているというか。アートが社会的に色んなものとつながろうとしてきているのに対して、引きこもって、内的なものをもう一回見つけるということは、いいきっかけになるのかなっていう気はしますね。

椹木：オノ・ヨーコさんといえば、アーティストである以前に、日本では特にジョン・レノンの「奥さん」として知られていたわけですが、欧米では1993年くらいから男性中心の美術史の見直しが始まって、オノ・ヨーコさんのことも歴史的に評価し直そうという動きが出てきたんですね。ニューヨークで開かれた展覧会が2004年に東京都現代美術館へ「YES オノ・ヨーコ」展としてやってきて、日本でまとまった展覧会が行われたのはそれが初めてだった。実は1964年に草月会館でオノ・ヨーコさんのパフォーマンスが行われて、それは1950年代からニューヨークに行っていた彼女がようやく日本に帰ってきてその実

像を知る機会だったわけですが、三島由紀夫を始めとする日本の当時の知識人やマスコミから総攻撃を受けた。同じような前衛的なスタイルは日本でもすでにいろんな人が試していたにもかかわらず、前衛は女性がやるものじゃないみたいなことで、おかしな非難を受けた。本来は前衛美術こそ性別関係なく開かれなければいけないはずなのに、理不尽な攻撃を受けて、精神的に非常に落ち込んでしまったんです。その後、日本を離れてロンドンを拠点に活動するようになって、ジョン・レノンと出会うんですが、それから日本との関係がほぼなかった。それで2004年、展覧会で久しぶりにパフォーマンスを披露することになって、そこでヨーコさんがパフォーマンスの相手に選んだのが、僕だったんです。

小林：そうでしたか。

椹木：突然代理人の方から電話がかかってきて、僕はオノ・ヨーコさんに会ったことがなかったし、なぜ声がかかったのか分からなかったけれども、とにかく狐につままれたような気持ちで当日会場に行って、初対面で話をすることになりました。その時に分かったのは、彼女は長く日本から離れていて、かつて辛い仕打ちも受け、いつまでもジョン・レノンの「奥さん」と呼ばれてアイデンティティを失うような扱いだったけれども、実は日本からとても大きなインスピレーションを受け続けていて、日本に居続けた人よりもはるかに日本について深く考えていたということでした。彼女はいきなり地震の話をしたんです。日本は地震がしょっちゅう起こる。地震は多くの人の命も財産も住むところも奪うし、酷いことばかりで、できればないほうが良いと思われているけれども、それは土地が若いということでもあるのだと。人間でいえば思春期というか、ちょっ

2019年の石巻の風景

と反抗的で、血が出るような怪我もするかもしれないけれど、とにかく活発に活動している。そういう土地の上に住んでいるということはものすごく刺激的で大切なことなんだと。大震災の後ではなかなか言えないことかもしれませんが。

小林：うーん（苦笑）

椹木：ヨーコさんが言うには、自分が住んでいるニューヨークとかヨーロッパとか、地震がない安定した土地には揺るぎのない歴史があって、歴史というのは土地が安定していないとできないと。石積みのようなしっかりした基礎があって、その上に構造を積み重ねてようやくできるのが歴史なのであって、言い換えるとその場所はもう歳をとっているんだ。歴史の重みがあるから荘厳だったり、いろんな知識の厚みがあるかもしれないけれども、根本的に大きな変化は起きないので退屈でもある。表現者は若い土地にいないとダメなんだということをおっしゃっていて。すごく新鮮な驚きがありましたね。

小林：なるほどねぇ。

椹木：そこから引きこもりの話が出てきたんです。ヨーロッパは我々の文明の基礎を作った土地で、地震はないけれども、歴史が失われる最大の要因は戦争です。自然条件じゃなくて、人間と人間が武器を使って争うことで、略奪や勝敗によって財産が移るわけで、パルテノン神殿も爆撃されて廃墟になったけれども、主要な装飾などは大英博物館に移っている。文化財破壊の最たる要素は戦争なんです。だから、戦争に関してはいろんな議論が積み重ねられてきたし、そこから哲学も思想も生まれたけれども、結局、契約とか国際条約とか、外交によってそれを防ぐっていうやり方をしてきた。ヨーコさんはそこまで言っているわけではないですが、そういうわけで、日常的

にまずは笑顔で顔を見合う、握手をする、抱擁をする、接吻もするというような身体的な接触をして、「敵ではない」ということを示すことが重要だったのではないかと思います。けれども日本はそういう敵対を含む外交が良くも悪くも必要ないので、握手もしないし、抱擁もしないし、接吻なんてしたら「なんだこいつ、気持ち悪い」ってことになるだろうし（笑）。そういう世界について、進んで引きこもることで狭い「窓」から世界を見ると、欧米人のヒューマニズムとは違う世界観が見えてきて、それは鴨長明の『方丈記』や、無常観といったものにつながっているのではないか。引きこもりは日本で社会問題といわれていて、それは欧米の価値観からしたら非難されるべきものになっているけれども、実は地震と同じようにインスピレーション源にもなっていて、とても大切な抵抗手段なんだ、と。

小林：今は引きこもることが世界的に推奨されていますよね。

椹木：握手をする者は人類の命を脅かす、抱擁もキスもあり得ないということになって、欧米でも握手もハグもしなくなった。価値の大転換が起きていることになりますね。

美意識を通じて 「利他」のセンスを共有する

小林：価値の転換といえば、「利他」のセンスを伝え広げていけないかと考えているんです。今、国連はSDGs*4を掲げるなかでESG投資を推進しているんですね。環境（Environment）・社会（Social）・ガバナンス（Governance）に配慮している企業に投資をしていこうと。要するに世界のいろんな問題やその原因はつながっていて、それを包括して見て

いけるような視点、地球的なところからもう1回自分のことを見てみるというようなセンスが大事だと思うんです。フランスの経済学者で思想家のジャック・アタリは、利他主義は合理的利己主義であると言っていましたけど、ウイルスに関して言えば、他人の感染を防げば、自分が感染を防げる。利他主義であることは、ひいては自分の利益になるともいえる。リボーンアート・フェスティバルでは、宮沢賢治をテーマにした『四次元の賢治』というオペラを中沢新一さんとやったんですけどね。

椹木:はい。

小林:宮沢賢治には、日本的な死生観に基づくような利他のセンスがあると思っていて。僕らは今、別々に閉じこもって分断されているようにも思えるけれども、そのなかで利己と利他がつながってせめぎ合っている。人間の生き物としての感性で、ウイルスをきっかけに地球がひとつの生き物として感じられている。コロナの問題のなかで気候の問題もさらに明確になっていくといいなとは思ってますね。

椹木:方丈記のころの鴨長明の引きこもりは世界から距離をとるため、世間から進んで引きこもるわけだから、利他という視点はなかったと思いますが、このパンデミック下の引きこもりは、家にいることが人類を救うことになるので利他であり、その行為が人類全体とつながるという感覚を具体的に受け取る機会になっているように思います。ただ、そういう状況だからすごく政治利用されやすい危険性もあって。ステイホームと言う時に、対で出てくるのが「コロナとの戦い」という戦争の比喩ですよね。パンデミック、感染症を戦争に例えるのはまずいと思うんです。むしろパンデミックは接触型の軍事教練や戦争を不可能にするような現象であるのに、それ自体を新たな敵のように考

えるのは非常にネガティブな誘導なのではないか。ウイルスはそもそも自己増殖できないから宿主のDNAを借りて増えるだけで、少なくとも我々がこれまで生物と考えてきたものからすると生物ではない。そういうふうに思考を転換すると、ではいかに共生、共存していくか、という議論に変わっていくと思うんですよ。そのほうが地球にとってははるかに生産的だと思います。

小林:そうですね。あとは監視の問題も気になります。コロナ追跡システムというのが海外で先に進んで、日本でも、プライベートを晒してでも強化してほしいという声がありましたが、ヒヤっとするところがある。倫理観をもつということは本当に大事だと思うんです。僕は千葉の木更津で「クルックフィールズ」という農場をやっていて、そこにはアートもあって、いのちの手ざわりを延々とつないでいくっていうことをしているんですが、そこのスタッフとは「自治」についてよく話します。強いリーダーシップに依存するっていうのは危うい。やっぱり基本は一次産業で、食べるものを作ってそれを循環させていくこと。これだけは大切っていうことをみんなで選んで捉えていくことが必要になってくるんじゃないかなとは思います。

椹木:たしかに、「人類の敵に打ち勝つ」とか、強いリーダーシップのもとに掛け声をかけられても、実感が伴わないですね。第一次世界大戦よりも多くの死者を出したスペイン風邪がなぜ忘れられていたかというと、やっぱり従来の西欧の価値観を元に組み立てられてきた思考回路では、意味が不明すぎて分からなかったのではないかと。そしてまたこういうパンデミックが起きても、結局事態をきちんと捉える思索の型がないから、また戦争の比喩に戻ってしまっているという状態だと思うんです。

『四次元の賢治 - 完結編 -』より

クルックフィールズ

小林：コロナ禍の今、スペイン風邪の時には気づけなかった何かが、より大きな問題として出てきたというのはありますよね。倫理観のない市場原理による資本主義社会が末期にきているといえる今、もはやただただ利己の暴発が起きている。利潤を追及することとサステナビリティは相性が良いわけがなくて。

椹木：今のコロナがスペイン風邪と違うのは、グローバリズム体制下のパンデミックであるということですよね。グローバリズムは、ベルリンの壁が崩壊してアメリカとソ連のイデオロギー対決がなくなり、アメリカの価値観が正しかったということになって、結局人と物と金と事を無際限に障壁なく流動させるということで作られたシステムですから、ウイルスの蔓延とはものすごく相性が良い。どんどん市場流通の速度を上げて、残された自然を開発して、環境変動が起きると、そこに住んでいた動物たちが絶滅したり住めなくなったりして、その動物たちを宿主にしていた、これまで人類が触れることのなかったウイルスが外に出されて人にも感染するようになる。今回の新型コロナは突然なようでいて、SARSとかMERSとか、エピデミックが数年に一度ぐらい起きるような時代に入ったのは、間違いなくグローバリズム体制下だからであって、ということは今後も同じような世界的大流行が起きるということです。つまりかつての世界に戻るということはもうなくて、やっぱり共生、共存するしかなくて、小林さんがおっしゃったように、その倫理観というのは極めて重要な意味を成すようになっています。実際、グローバルどころか、家にいることが人類、ひいては地球全体とつながるというのが現実になっていますから。

小林：そうなんですよ。

椹木：それをどれだけ人が実感できるか。正しいことだから

やってください、というような正義の論理はかつての価値観によるものであって、それよりも美意識、表現を通じてそれを伝えていくっていうやり方のほうが分かりやすいんじゃないかと思います。美術なのか音楽なのか、もともと非接触型だった文学なのかは分かりませんが、表現を通じてそれをリレーしていくということを考えるのが良いのではないかと。そこでやっぱり今の政治に一番足りないのは倫理観だし、その倫理って結局美学の一種なので、煎じ詰めれば美意識がないということなんですよね。

小林：だから全然響かないんですよね。

椹木：「不要不急」という時に、美意識とか表現とかそういったものは一番関係ないから後回しにということになるけど、実は一番重要かもしれない。それなくしてステイホームなんてできないわけだから。

小林：本当ですよ。

椹木：芸術・文化に対しては補助金、助成金も大事だけど、それよりももう少し桁を上げた次元の話をしていかなければと思います。

食文化を軸にした「新しい自治」が芸術祭の可能性を広げる

小林：僕はサステナビリティを考える上で、経済をコントロールする国の在り方が一番奥にある手強い存在だと思っていましたけど、それが今回のコロナで前に出てきたというかんじがしています。日本はあまりにも「自治」をしてこなかった。良くも悪くも、勝ち取ってきた民主主義とは違いますから。でもこの

リボーンアート・ファームでは会期中、養豚を行った

あたりで自治していくべきなんじゃないかと思います。

榁木：その自治に関して言うと、今、岐路に立たされている芸術祭はかえって可能性があるかもしれないと思うんですよ。2020年は、多くの芸術祭が延期になったり中止になったりしました。ヨコハマトリエンナーレ2020は僕もアーティスティック・ディレクターの選考委員の一人として関わっていたんですが、最終的に決まったインドのラクス・メディア・コレクティヴという3人組のユニットは、結局日本に来られなくなってしまった。その他の海外アーティストも来日できないし、現地でのリサーチやワークショップを元にしたプロジェクトも難しい。つまり、芸術祭は人の移動や3密を前提とするんです。

小林：そうですね。

榁木：芸術祭の時代といわれ、芸術祭が美術館での展覧会に代わって日本の現代アートを引っ張ってきたけれども、それが今とても大きな壁に突き当たっている。しかし他方で、芸術祭というのは、リボーンもそうだと思いますが、従来の行政上の区分を越えられる枠組みじゃないですか。大地の芸術祭 越後妻有アートトリエンナーレの「越後妻有」も瀬戸内国際芸術祭の「瀬戸内」も行政区分による名称ではないし、芸術祭はそれを越えた共同性のなかで自治的に地域を再定義できるというのが強みだったと思うんです。例えば高松近辺の瀬戸内を行き交う海運のチケットをひとつにまとめたというのも瀬戸芸がなかったらできなかったことです。瀬戸芸の総合プロデューサーの福武總一郎さんも「公益資本主義」を主張され、利他に近い発想に基づいた自治の必要を掲げている。そうすると、もしかすると国が倒れても瀬戸内は残るといったことがあり得るのかもしれない。

小林：本当にそういうことが増えていくのが良いんですよね。

榁木：芸術祭も従来通りにはできないかもしれないけれども、地形や食によってつながる区分、見えないけれど存在していた区分による、いわば「新しい自治」をしていくことで新しい芸術祭が生まれる可能性もあるのかなと思っています。そこでは一次産業が、芸術祭のオプションとしてではなく、出発点として機能するのではないかと。僕は佐渡島の、さどの島銀河芸術祭に関わっていて、佐渡は新潟県ということになっているけれども、新潟よりもむしろ海流がつながっている石川県の能登のほうが文化的に近いところがあるんですよ。ブリ漁の仕方が同じだったりして。また佐渡は貴人たちの流刑地だったこともあって、世阿弥が流されてきたから能が盛んだったり、順徳天皇も流されていますし、芸術的資源が無尽蔵に蓄積されているんだけれども、外にはほとんど知られていない。そういうところが観光振興とはまた違った、芸術祭の経験値を蓄積していく場にならないかなと思っているところなんです。

小林：芸術祭の在り方が、自治するところから独自に育っていくというのは、本当にアリだと思いますね。ウィズコロナとも相性が悪くないし。

榁木：自治を考える上でも食は重要ですが、コロナ禍で食の問題が緊迫性をおびてくるというのもありますよね。日本の食料自給率は38%[*5]ですが、例えばロシアが米の輸出を制限したり、アメリカの養豚場の運営が困難になっていたりして、食料危機がコロナ禍でにわかに現実味をおびてきている。人間を支えるのは何といっても食なので、少なくとも自治権内の食料自給率は担保できるようなノウハウを作って、それが芸術、表現活動と連携していくということがすごく重要なのではない

石巻フードアドベンチャー #8「食猟師と歩き、料り、食べ、語る。」より

かと思います。小林さんは農場運営もされているから身に染みて考えられていることだと思いますが。

小林：日本は食の面でほとんどアメリカに統治されているような状況が続いていましたからね。結局国産の豚、鶏、牛といっても穀物飼料は輸入にほとんど頼っていたりするわけで。

椹木：また、日本列島が"悪い場所"と言う時に、地震、津波、火山の噴火、台風といったことのほかに、飢饉というものも考えないといけない。日本では過去に破局的な飢饉が何回も起きていて、天明の大飢饉の時代は鎖国していたために食料は一切入ってこなかったので、何万人も死んだ。飢饉の背景には、火山が噴火して、火山灰が成層圏を覆って太陽光が届かないといったことが多いようで、要因が複合的なので切り分けられないし、これだけ気候変動もあるので、何が何と玉突きとなり、いつ飢饉になるとも分からない。1993年にも大不作があったじゃないですか。

小林：ありましたね。

椹木：あれをきっかけに日本政府は国の食料自給率を根本的に見直さなければいけなかったのに、そんなものグローバル経済のなかで買えばいいという話で過ごしてしまった。あの時は結局備蓄米も足りなくなって、タイ米を輸入しましたが、あのレベルの不作になった時に、海外からの食料輸出が制限されたら危機的ですよ。だからそういうことも、芸術祭という本来は関係ないかもしれない仕組みを通じて、食と取り組めば、少なくともその圏内では賄えるような気がして。僕の両親はもう90歳近くで埼玉県の秩父に住んでいて、畑を耕して大根やネギやほうれん草を作ったりするのが生き甲斐になっているんですが、食べきれないほどできるみたいで、分散小作をすれば、自給率はわりと高められるんじゃないかと思ったりもしますね。

小林：僕らって時間をお金に換えてきたと思うけれど、それだけの時間の捉え方ではもう無理だし、意味がないっていうことに気が付いてきていますよね。

新たな復興の光を観る
リボーンアート・フェスティバル

椹木：僕は2017年、リボーンの1回目に和多利さんに誘われて行って、他の芸術祭と全然違うなと思いましたね。やっぱり行政区分とは違うところに自治性があるというか、被災地だから耳に心地良い話ばかりではないけれど、地形がすごく複雑で、半島もあって、離島があって、町があって、浜があって、体験が濃厚で。特に今回、網地島での体験はすごく大きかったです。

小林：網地島は牡鹿半島と全然違うんですよね。

椹木：30年ほど前に村上隆さんなんかと一緒に網地島へ海水浴に行ったことがあって、「良いところだなぁ」なんて思ってたぐらいだったんですが、今回久しぶりに行って、こんなに植物多様性のある島だったんだと、ちょっとビックリしました。震源に近い島にこれだけ豊穣な自然が残っているんだと。震源に近かったから逆にそれほど津波の影響がなくて済んだという話もありましたが、すごく楽園的で。ロイス・ワインバーガーのような人の導きがないと見つけられないような場所がたくさんあって、巡礼しているようでもありましたね。従来のインバウンド的な観光とは全然違う。中沢新一さんもおっしゃっていますが、観光は、「光を観る」と書く。日本型観光は光を観るために巡礼しているわけで、その光は何なのかというと、

ロイス・ワインバーガー《私──雑草──》

元々がお伊勢参りだったり善光寺参りだったりしたわけだから、やっぱり心の救済だと思うんですよね。そのための光を与える芸術祭というのが本来の観光につながると思います。

小林：網地島には網地と長渡という二つの地区があって、それぞれ港があって、漁の仕方も違ったりするんですが、最終的に両地区の地区長さんが揃って、次回もぜひ網地島でやってほしいという要望書をくださって、それは手応えを感じましたね。頑張ってくれたのは和多利さんたちですが。

椹木：網地島の梅田哲也さんの作品もすごかったですね。よく許可が出たなとも思いましたが、普段の梅田さんの作風と違って、ああいう機会じゃないと出てこないものだと思います。

小林：あと鮎川の吉増剛造さんのホテルニューさか井（現・島周の宿さか井）の作品は残ることになったんですよ。

椹木：あれもすごく良かったですね。本人が展示されているというか。震災時は、震源に一番近い金華山とホテルがある牡鹿半島の間の海水が引いて、底が見えたって話でしたよね。

小林：そうです、「モーゼの十戒」のようになったという。

椹木：しかも見えた海底が真っ赤だったという証言があると聞きました。赤い藻が生える時期だったらしいですね。僕らが神話やSFだと思っていたようなことが、コロナもそうですが、実際に起こり得るんだなと思って。それはやっぱり詩人のイマジネーションを最大限に掻き立てると思いますね。あれだけのお歳でかなりのハードワークだったでしょうけれど、あそこで書かれた詩って吉増さんの長い詩作の歴史のなかでも非常に特別なものだと思います。実際、詩の文字列も色味も光の入り方も素晴らしかったし。

小林：ホテルニューさか井の社長もどんどん巻き込まれてポジ

ティブになっていったようでしたね。

椹木：あと、桃浦のSIDE COREの作品も、ああいう場でないと絶対できないものですよね。防潮堤の上に、MoMAという世界の美術の殿堂をアイロニカルに捉えた建物を作って、その前には反近代の象徴みたいな神様がいるという。最初は防潮堤にグラフィティをするようなことを考えていたようですが、困難と直面したことでかえって面白くなったわけで。やっぱりトライ＆エラーはすごく重要で、難しいと言われたら、それを逆手にとったり、そこでしか発想できないことをもう一回練り直したりするのが芸術祭の良さのひとつだと思うんです。あれは美術館での展覧会ではできないし、都市型の芸術祭でも難しいと思います。

小林：SIDE COREは最初に打ち合わせしていた話からどんどん転がっていきましたね。

椹木：リボーンのようなキュレーターの分散的連携みたいなことも他ではやっていないことですよね。

小林：何かを真似たということはないですね。

椹木：面白いなと思いました。場所ごとに経験値が相乗的に活かされていて。

小林：それぞれのキュレーターの在り方もどこか自治するような感覚があったんですよね。「いのちのてざわり」という言葉はなんとなくあるんだけれども、それぞれバランスを取ってやっていくという。音楽でいうとローリングストーンズのセッション感みたいな、譜面にきちんと書ききっていくというよりも、関係性だけで、反応しながら、インタープレイで構築していくようなイメージは、最初からもっていました。

椹木：やっぱりそれは小林さんならではですよね。通常、芸術

梅田哲也《針の目》

吉増剛造《room キンカザン》

祭というと、コミッショナーが統括してテーマを作って、それを
アーティストに伝えて、という美術展の典型的な形があります
が。2017年のリボーンでは直前に告知された場所に行くと、
ミュージシャンがライブをしていたりして。アドリブ感というか
インプロヴィゼーションに近いような。ああいうのは他ではな
いですよね。

小林：出会うということをより自由なかんじで呼び込む、自分
たちのなかに入れ込んでいくような感覚はあったと思います。
震災後、あの土地に関わってきたなかで、「ネガ」と「ポジ」がど
うしてもつながっているということが、僕はすごく前向きに捉
えられたので。

椹木：やっぱり行政主導じゃないからできるってことってたく
さんあるんでしょうね。

小林：そうですね。自分たちで言うのもなんですけど、石巻市や
宮城県とうまく付き合ってきたと思います。きれいごとだけ言
うこともなかったし、できないことはできないという判断もし
たし。行政の人たちもけっこうオープンにしていろいろなもの
を見せてくれたけれども、僕らがなかなか入っていけないとこ
ろもあったりして、その辺はけっこう大変でしたけどね。2回目
を終えて、期待もされるようになってきたところです。やっぱり
コロナのことが影響してきてますが。

椹木：リボーンアート・フェスティバルの「リボーン」というのは、
元々は震災からの復興という意味だったんでしょうけれど、ま
た別の次元になったかもしれないですね。ウイルスも生まれ
変わるけれども、我々も生まれ変わり続けなければ共生でき
ないわけなので。

小林：ウィズコロナの時代はこれから続いていきますしね。

[注]
1. 「遮られる世界 パンデミックとアート」：椹木による、『西日本新聞』（および『西
日本新聞』が運営するウェブマガジン『ARTNE』）の連載。2020年4〜7月は
毎週、9月以降は隔週という頻度で掲載されている
2. "悪い場所"：椹木は1998年に刊行した『日本・現代・美術』（新潮社）で、戦後
日本には「歴史」がなく、蓄積なき忘却と悪しき反復を繰り返す"悪い場所"で
あると論じ、大きな波紋を起こした
3. 『震美術論』：椹木は東日本大震災の直前より長篇評論「後美術論」の連載を
『美術手帖』誌上で開始、2015年に『後美術論』（美術出版社）を刊行。また「第
二部・流浪篇」と題して同誌上で2014年から2016年まで連載し、2017年『震
美術論』（美術出版社）を刊行。"悪い場所"という概念を日本列島の地質学的
条件をもとに更新し、「日本列島の美術」のあり方を再考した
4. SDGs：「Sustainable Development Goals（持続可能な開発目標）」の略
称。2015年9月に国連で開かれたサミットで決められた、2030年までに達成
すべき17の目標。「貧困をなくそう」「飢餓をゼロに」「すべての人に健康と福祉
を」「質の高い教育をみんなに」「ジェンダー平等を実現しよう」「安全な水とト
イレを世界中に」「エネルギーをみんなに そしてクリーンに」「働きがいも経済
成長も」「産業と技術革新の基盤をつくろう」「人や国の不平等をなくそう」「住
み続けられるまちづくりを」「つくる責任つかう責任」「気候変動に具体的な対
策を」「海の豊かさを守ろう」「陸の豊かさを守ろう」「平和と公正をすべての人
に」「パートナーシップで目標を達成しよう」
5. 日本の食料自給率は38％：2019年度食料自給率・食料自給力指標（農林水
産省）による

椹木野衣（さわらぎ・のい）
美術批評家／多摩美術大学美術学部教授、芸術人類学研究所所員
1962年生まれ。埼玉県出身。同志社大学文学部文化学科を卒業後、『シミュレー
ショニズム ハウス・ミュージックと盗用芸術』（1991年、増補版＝ちくま学芸文
庫）を刊行、批評活動を始める。著書に『日本・現代・美術』（1998年、新潮社）、
『戦争と万博』（2005年、美術出版社）、『後美術論』（2015年、美術出版社、第25
回吉田秀和賞）、『震美術論』（2017年、美術出版社、平成29年度芸術選奨文部
科学大臣賞）などがある。キュレーションした展覧会に「アノーマリー」（1991年、
レントゲン藝術研究所）、「日本ゼロ年」（1999–2000年、水戸芸術館）、「平成
美術：うたかたと瓦礫デブリ 1989–2019」（2021年、京都市京セラ美術館）ほ
か。福島の帰還困難区域で開催中の"見に行くことができない展覧会"「Don't
Follow the Wind」（2015年-）では実行委員を務め、赤城修司、飴屋法水、山川
冬樹とのアートユニット「グランギニョル未来」として展示にも参加している。

SIDE CORE《Lonely Museum of Wall Art》

REBORN
ART
FESTIVAL
2019

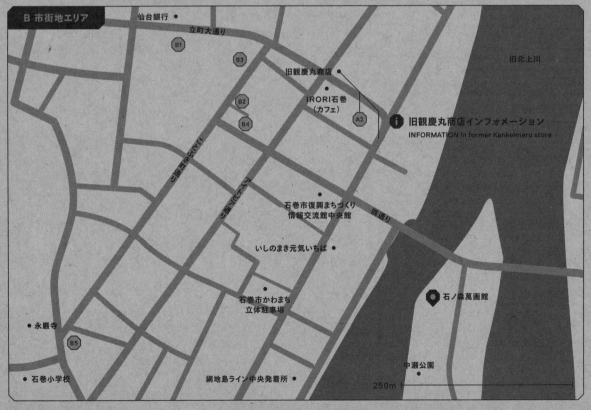

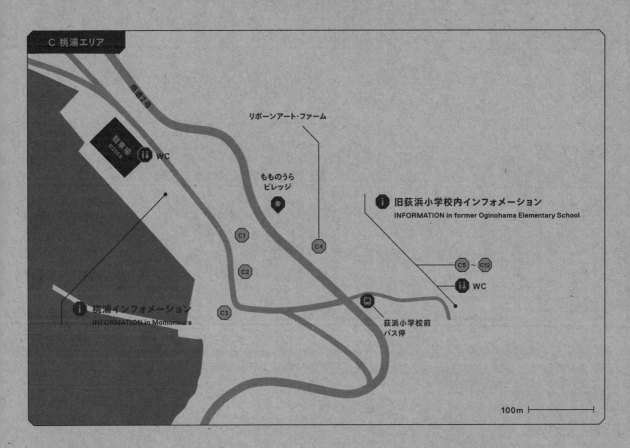

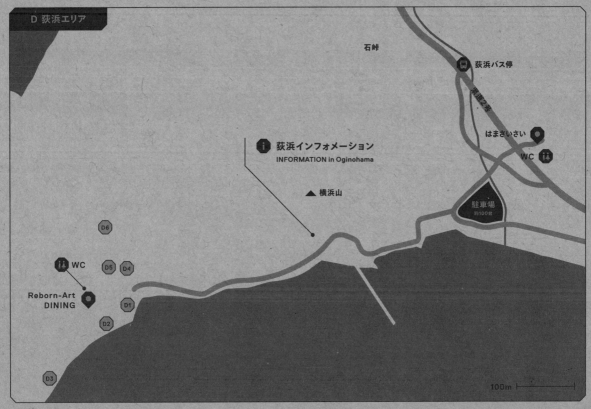

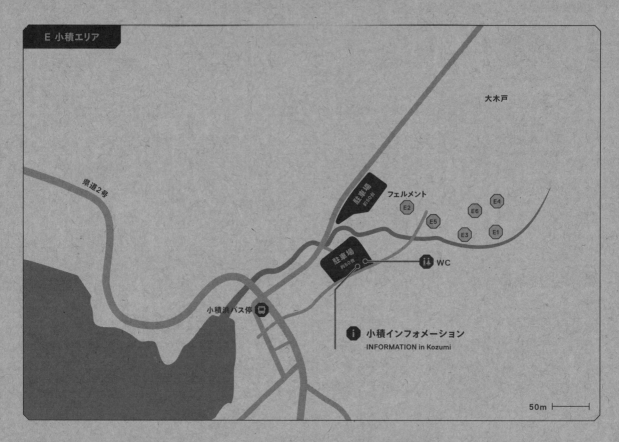

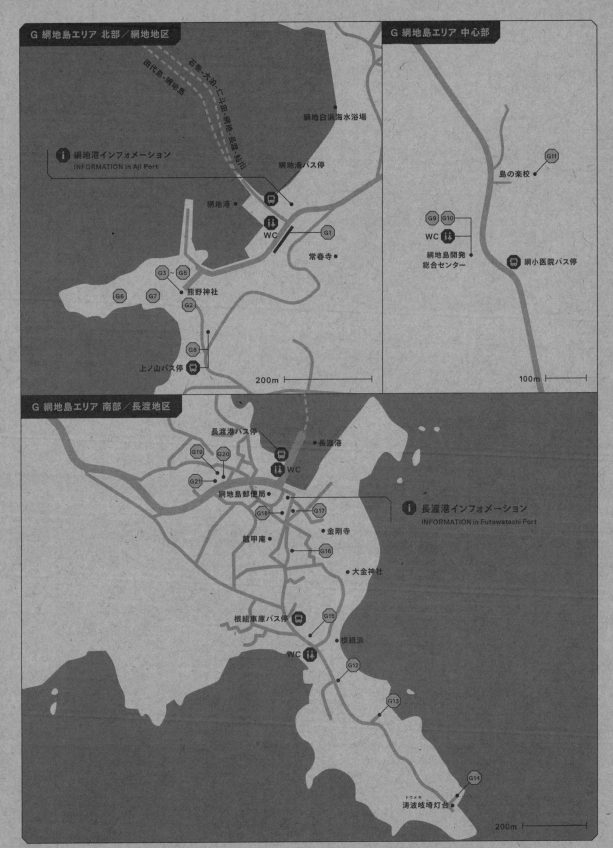

DETAILS

プロフィール、関係者、
作品・プロジェクト情報

※基本的に2019年時点の情報です

ART
—

A 石巻駅前エリア

キュレーター： 中沢新一

Shinichi Nakazawa◎1950年、山梨県生まれ。思想家・人類学者。明治大学野生の科学研究所所長。インド・ネパールでチベット仏教を学び、帰国後、人類の思考全域を視野にいれた研究分野（精神の考古学）を構想・開拓する。著書に『チベットのモーツァルト』『アースダイバー』『カイエ・ソバージュ』シリーズ、『芸術人類学』『野生の科学』ほか多数。日本の各地における歴史や文化の生成を人文科学と自然科学の両観点から解き明かそうとする試みである「アースダイバー」プロジェクトや展覧会の監修など、多岐に渡る活動を展開している。

A1

ザイ・クーニン、大崎映晋、山内光枝、中沢新一
海に開く
2019
石巻駅前

企画: 中沢新一
会場構成: フジワラテッペイアーキテクツラボ／FUJIWALABO
協力: 株式会社自由国民社、オオタファインアーツ

Zai Kuning◎1964年、シンガポール生まれ。ザイは数十年間にわたり、彫刻、インスタレーション、絵画、実験音楽、ビデオ、映画、パフォーマンス、ダンス、舞台など様々な表現媒体を用い、既存のカテゴリーにとらわれない創作を続け、分野横断的かつ即興的なアートを実践してきた。現在、彼は東南アジア地域においてもっとも多才なアーティストのひとりであり、またシンガポールにおける前衛アートの最前線にいる。ザイは1989年にラサール・カレッジ・オブ・アーツのセラミック彫刻専攻を卒業したのち、身体に対する関心から「拷問される身体」を主題としてきた。同時に彫刻、音、パフォーマンスの間にある可能性を探求し、蝋を用いた作品

も制作。1997年には、身体を思わせるザイの立体作品がニューサウスウェールズ・アートギャラリーでフランシス・ベーコンやエゴン・シーレといったヨーロッパの巨匠とともに大規模な展覧会「BODY」で展示された。ザイの関心はその後、東南アジアの儀式に関する身体動作と言語に及んでいく。シンガポールと日本でもパフォーマンスを行い、コントラバス奏者兼作曲家の齋藤徹と舞踏家である故・元藤燁子らと共演を果たしている。2001年には、マレー文化、特にリアウ諸島の原住民「海のジプシー」と呼ばれるオラン・ラウトについての研究を進めていくようになる。

Eishin Osaki◎1920年群馬県生まれ、2015年没。水中写真家、水中考古学者、海女文化研究家。中央大学経済学部卒業、東京藝術大学油絵画科中退。1938年、トレジャー・ダイバーの第一人者片岡弓八に師事。海軍水路部勤務などを経て、1952年、日本初の報道写真家といわれる名取洋之助に師事。同じ門下に土門拳、木村伊兵衛、東松照明らがいた。日本画の中村岳陵に師事し「読売アンデパンダン展」において金賞を獲得。作品《天城三山》は読売新聞社主の正力松太郎が買い上げた。1958年、茨城県東海村に日本初の原子力発電所が建造される際に潜水調査班の責任者に就任した。水中写真家として『日本の海女』(1957年)、映画『青い海底大陸』(1974年)、『海の百科事典』(1976年)など国内外の映画の水中撮影を数多く手掛ける。1990年、ライフワークであった『世界水中考古学事典』を脱稿。今回は『海女のいる風景』(自由国民社刊・大崎映晋著)に掲載されている写真を展示。

Terue Yamauchi◎1982年福岡生まれ。ロンドン大学ゴールドスミスカレッジBA Fine Art卒業。2010年頃に裸の海女が佇む一枚の古い写真と出逢い、それまで抱いていた日本人像や人間像が溶解していくような衝撃を受ける。その後現在にいたるまで、主に黒潮・対馬暖流域の浦々で滞在を重ねながら、海を基点とした人間や世界のあらわれを母胎に、表現活動を続けている。2013年済州ハンスプル海女学校(韓国・済州島)を卒業し、素潜り水中撮影を体得。2015年文化庁、2016年国際交流基金の助成を受けミンダナオ沿岸(フィリピン)を中心に滞在制作を行い、フィールドを海洋アジアへと広げる。2018年、鬱陵島(韓国)と新潟の両沿岸地域で滞在制作した作品を「水と土の芸術祭2018」(新潟市)で発表。2019年、近年の活動の原点である玄界灘で制作した長編映像『つれ潮』が、第10回座・高円寺ドキュメンタリーフェスティバルに入賞。

A2

ザイ・クーニン
茶碗の底の千の眼
2019
旧観慶丸商店2F

協力: お茶碗を提供していただいた皆様、オオタファインアーツ

B 市街地エリア

キュレーター： 有馬かおる

Kaoru Arima◎1969年、愛知県出身、石巻市在住。ドローイングを中心にペインティング、彫刻などを制作。キワマリ荘プロジェクトを行なっている。
主な展覧会に、
2018年「To see」Queer Thoughts, New York (個展)
2017年「Reborn-Art Festival 2017」石巻市 (グループ展)
2015年「Face of a human」MISAKO & ROSEN 東京(個展)「Rainbow」Queer Thoughts、ニカラグア(グループ展)
2013年「ナウ・ジャパン」クンスト・ハーレ・アーメルスフォート、KADE、オランダ(グループ展)
2007年「夏への扉 マイクロポップの時代」水戸芸術館現代美術ギャラリー、水戸、茨城(グループ展)
2004年「第54回カーネギーインターナショナル」カーネギー美術館、ピッツバーグ (グループ展)などがある。

マンガロード
青木俊直展
ディレクション： オザワミカ

Mika Ozawa◎イラストレーター、M.O.N.O. SHOP & GALLERYオーナー。1970年、愛知県生まれ。神奈川県在住。名古屋造形芸術短期大学(現・名古屋造形大学)インターメディアコース卒業。卒業大学の研究室職員時代、インスタレーションなどの現代美術を学んだのち、さまざまな経緯を経てなぜかフリーランスのイラストレーターに。主に書籍や雑誌の挿絵や装画、芝居のフライヤーなど宣伝美術を手がける。2010年に漫画家・江口寿史氏とのイラスト2人展「reply」(東京吉祥寺 リベストギャラリー創)を開催したことをきっかけに、その後は、漫画家、イラストレーター、デザイナーなどを交えたさまざまなクリエイターのグループ展を企画。2017年には自身の仕事場兼ギャラリーショップM.O.N.O. SHOP & GALLERYを開設。今回は青木俊直展をディレクション。

B1

青木俊直
クラスルーム ver.A
2019
旧旅行代理店

Toshinao Aoki◎漫画家、イラストレーター、キャラクターデザイナー。1960年、東京都生まれ。東京都在住。筑波大学基礎工学類卒業。キャラクターデザイナーとして『ウゴウゴルーガ』『なんでもQ』『みんなのうた』や『ポケモンえほん』シリーズの挿絵を担当。『くるみのき！』『レイルオブライフ』など、かわいく楽しい中に叙情的な感性あふれる漫画は、漫画好きの中でも評価が高い。2013年のNHK連続テレビ小説『あまちゃん』のファンアート「あま絵」で一躍脚光を浴びる。最近は映画『きみの声をとどけたい』やアニメ『ひそねとまそたん』などのキャラクター原案やNintendo Switchゲーム「がるメタる！」のキャラクターデザイン、ゲーム内マンガを担当。2014年〜2016年には東京吉祥寺のリベストギャラリー創にて自分自身を「校長」ではなく、あくまでも「学校」と位置付けたコンセプチュアルイラスト展「青木女学院」を開催。

マンガロード
たなか亜希夫展
展示企画構成：有馬かおる

B2-1

たなか亜希夫
街の灯火
2019
パナックけいてい

Akio Tanaka◎マンガ家。1956年、宮城県石巻市出身。主な作品に、『軍鶏』（アクションコミックス、双葉社）、『迷走王 ボーダー』（原作：狩撫麻礼・画：たなか亜希夫、漫画アクション、双葉社）などがある。現在、故郷でもある石巻を舞台にした作品『リバーエンド・カフェ』が、漫画アクション（双葉社）で連載中。

B2-2

石巻劇場芸術協会
City Lights
2019
パナックけいてい

Ishinomaki Theatrical Arts Council◎宮城県石巻市にて、「ISHINOMAKI金曜映画館」や「いしのまき演劇祭」など、映画や演劇に関する企画・制作・プロデュースを行っていたメンバーが集い、2018年

12月発足。面白いと思う映画の上映や食事付き上映会など楽しめる観劇を行うプロジェクト「キノコ」、新しい演劇の上演を行う「コブタ」、石巻の劇場文化に関するワークショップや研修を行う「ソクラテス」、映画や演劇に関する茶話会を開催する「トシコ」など、石巻の劇場文化に対し横断的にプロジェクトを展開。劇場芸術をあらゆる観点から日常生活まで落とし込み、楽しみながら継承してゆくことを目指す。
2019年2月、石巻市の旧観慶丸商店にて、音楽と短歌と演劇などの総合イベントを「R」と共催。同2月に映画『エクレール お菓子放浪記』の上映会において、食事付きトークイベント等を開催。現在のメンバーはアベ、ヤグチ、サノ、キクチ。

B2-3

八重樫蓮
Landmark?
2019
パナックけいてい

Ren Yaegashi◎2001年、宮城県石巻市生まれ。石巻市在住。宮城県石巻工業高校電気情報科在学中。

B2-4

ヤグチユヅキ
ナツ・ユメ・ナギサ
2019
パナックけいてい

Yuzuki Yaguchi◎2002年、宮城県石巻市生まれる。石巻市在住。エンジニア・トラックメイカーとしても活動する。主にサンプリングを用いた制作を行う。主な展示として、「新しい民話のためのプリビジュアライゼーション」(2018・石巻市・南浜)、「お前からはいつだって予感がする」(2019・東京・画廊跡地)がある。
人は変化を目の当たりにする事で経過した時間を実感できる。石巻の街は変わり続け、8年という時間の重みを感じさせる。震災前は閑散としていた中心街も開発や人の流入によって賑わいを取り戻している。かつて、大震災の象徴とされた石巻は、「復興」しているんだろう。しかし、同じく大震災の象徴とされた海には高い堤防が立ち、人の目に触れることはなくなってしまった。僕は音声をサンプリングし、瞬間を切り取る。切り取った瞬間を積み重ねていけば止まってしまった時間も取り戻せるかもしれない。

アートロード
山形藝術界隈
展示企画構成；halken LLP

halken LLP◎山形出身の画家・スガノサカエ(1947-2016)のマネジメントをきっかけに、2012年に結成された二人組のチーム。展覧会のキュレーションや構成・デザイン、アーティストブックの企画・制作・出版、アーティストマネジメントなど、幅広く活動を展開している。キュレーションを手がけた主な展覧会に、十和田市現代美術館「スガノサカエの図画展」(2010)、山形ビエンナーレ2014「スガノサカエ図画展 山をなぞる trace the life」、山形ビエンナーレ2016「スガノサカエ図画展 pose of repose 〜安息のポーズ〜」、山形県東根市美術館（まなびあテラス）「TOCHKA Playground！」展(2017)など。山形ビエンナーレ2018では、企画展「現代山形考」の展示構成・デザインを手がけた。企画・制作・出版したアーティストブックに、スガノサカエ『FLAMENCO SKETCHES』、下道基行『日曜画家／Sunday Painter』[普及版]などがある。2017年より山形藝術界隈の展覧会ビジュアルのデザインを手掛け、現在は同グループのマネジメントやキュレーションなどにも携わっている。今回は山形藝術界隈の展示をディレクション。

山形藝術界隈とは
『山形ビエンナーレ2016』期間中に開催されたアートの市「芸術界隈」（ディレクター・三瀬夏之介）から派生した芸術運動体として2016年より活動開始。絵画・音楽・パフォーマンス等それぞれの表現活動を行なうメンバーが集まり、既存の枠組みにとらわれない新たな作品制作・発表のあり方を模索する実験的な活動を行なっている。2017年は、山形・ミサワクラス、山形・白鷹町文化交流センター、東京・新宿伊勢丹(ISETAN ニューアーティスト・ディスプレイ)、山形・鶴岡アートフォーラム（東北画は可能か？／三瀬夏之介個展 関連企画）での各種展示を行なった。2018年は、RAF2019キュレーター有馬かおるとの出会いをきっかけに生まれたプロジェクト「年間山形藝術界隈展」を立ち上げ、2019年2月まで年間を通しての企画展示を宮城・GALVANIZE gallery（石巻のキワマリ荘）で行なった。

B3-1

大槌秀樹
神々の撮影
2019
旧柏屋

Hideki Ozuchi◎1981年、千葉県生まれ。山形市在住。2009年、東北芸術工科大学大学院修士課程実験芸術領域修了。空洞化した中心市街地や、東北に存在する消滅集落、廃村、鉱山を舞台に、その変化せざるをえなかった環境や自然と対峙した行為を記録。行為から生まれる事象を映像や写

真、パフォーマンスなどで表現している。2019年、川崎市岡本太郎美術館にて「第22回岡本太郎現代芸術賞展」に参加。2018年、Cyg art gallery（盛岡）にて個展「神々の撮影」を開催。2018年、山形ビエンナーレ2018「現代山形考」に参加。同じく2018年、GALVANIZE gallery（石巻）にて「帰ってきた MOLE GALLERY」展を開催。近年では、自然と共に生きる術を神々と共に生きる事と捉え、制作を行っている。

B3-2

工藤玲那
辺境の人々
2019
旧柏屋

Rena Kudoh◎1994年、宮城県生まれ。2017年、東北芸術工科大学芸術学部美術科洋画コース卒業。様々な土地を転々としているうちに混ざりあうアノニマスな記憶、捨てきれない幼い頃の自分、唐突な夢……、個人的な混沌をベースに、絵画や陶芸、ドローイングなどの表現で、見たことがあるようで見たことがない世界をつくり出している。現在は拠点を持たず、アジアを中心に各地に滞在、横断しながら制作。個展に「anima」POST Gallery 4GATS（2017・東京）、「touchable murmur」GALVANIZE Gallery（2018・宮城）、「avatar」京都造形芸術大学 Painting Laboratory 303（2018・京都）。グループ展に、「Asia International Ceramic Exchange Exhibition」Clayarch Gimhae Museum（2019・韓国）など。

B3-3

後藤拓朗
ふるさとの風景
2019
旧柏屋

Takuro Goto◎1982年、山形県山形市生まれ。東北芸術工科大学芸術学部美術科洋画コースを卒業後、美術講師として勤務する傍ら、オープンアトリエを中心に発表活動を行う。マスメディアやインターネットを通じて得られる情報と、身体や生活風景との結びつきを探り、現代における郷土風景画のあり方についての考察を基にした油彩作品などを制作している。2017年「間 - 空 - 間（inter-space）：日常と非日常の隣接」（KUGURU・山形／キュレーション 岡部信幸）、2017年「第20回岡本太郎現代美術賞」（川崎市岡本太郎美術館・神奈川）、2018年 山形ビエンナーレ 2018企画展「現代山形考」（東北芸術工科大学・山形）などの展覧会に参加。2005年「第24回 損保ジャパン美術財団選抜奨励展」（東郷青児美術館・東京）損保ジャ

バン美術賞受賞。

B3-4

是恒さくら
再編「ありふれたくじら：牡鹿半島～太地浦」
2019
旧柏屋

Sakura Koretsune◎1986年、広島県生まれ。宮城県仙台市在住。2010年、アラスカ州立大学フェアバンクス校卒業。2017年、東北芸術工科大学大学院 修士課程地域デザイン研究領域修了。2018年より東北大学東北アジア研究センター学術研究員。アラスカや東北各地の捕鯨、漁労文化、海の精神文化についてフィールドワークと採話を行い、リトルプレスや刺繍、造形作品として発表。2016年より、リトルプレス「ありふれたくじら」を発行（Vol.1～5既刊）。2017年、横浜市民ギャラリーにて「新・今日の作家展2017 キオクのかたち／キロクのかたち」に参加。2018年、宮城県気仙沼市リアス・アーク美術館にて個展「N.E. blood 21: Vol.67 是恒さくら展」を開催。同年「みちのおくの芸術祭 山形ビエンナーレ2018」の企画展「現代山形考」に参加。さまざまな土地に生きる個々人の記憶を〈歴史の肌理〉として継承する表現を展開する。

B3-5

渋谷剛史
武道形
2019
旧柏屋

Takefumi Shibuya◎1994年、山形県生まれ。東北芸術工科大学大学院 修士課程芸術文化専攻修了。芸術運動体「山形藝術界隈」メンバー。山形を拠点に活動している。大学時代までは柔道選手として、体育会系独特の文化を経験。近年は〈しごく〉〈しごかれる〉の関係性を考察し、武道型（かた）を用いた映像作品を制作。柔道の「背負い投げ」や「関節技」での〈しごき〉を、芸術史や戦争史跡それぞれの小さな物語と接続し、自身の身体性とメディアの記録性を連動させながら、芸術における「背負い投げ」を試みている。主な展覧会として、山形ビエンナーレ2018「山のような100ものがたり」東北芸術工科大学（2018・山形）、「汚された青い柔道着」中央本線画廊（2018・東京）、「余計と余談—ゆとりの仕組み—」加計美術館（2015・岡山）。第3回 CAF賞入選。

B3-6

白丸たクト
石巻——複雑な感情

2019
旧柏屋

歌：今野秀悦、佐伯和恵
コーラス：坂田貴大、工藤玲那
石巻弁翻訳、クラリネット：佐藤秀博
音源制作：一ノ瀬憲貴
協力：パナックけいてい

Takuto Shiromaru◎1992年生まれ。兵庫県出身。茨城県水戸市在住。2014年に自主レーベル"TRIP CHILDS RECORDINGS"を設立と共に活動開始。「先人たちの声をうたと音で翻訳する」をコンセプトに、詩人たちが書き残した詩から曲を制作し自ら歌う弾き語りや、カセットテープで音源を制作する Yen Shiromaru 名義のローファイミュージック、旅行をテーマとしたフィールドレコーディングシリーズ "Sounds of Passage"、水戸芸術館でのワークショッププロジェクト「聴く部」など、音や音楽を含めた「空気感や雰囲気」をテーマにあらゆるボーダーをゆるやかに越えうる表現を日々追求している。近作に「つぶらなりけりかのひとみ」（白丸たクト・2018）、「nddl」（Yen Shiromaru・2018）など。

B3-7

根本裕子
野良犬
2016-2019
旧柏屋

Yuko Nemoto◎1984年、福島県生まれ。陶芸家。東北芸術工科大学大学院 芸術工学研究科芸術文化専攻陶芸領域 修了。大学在学中より和太守卑良氏に影響を受ける。手びねりによって制作される作品の多くは、動物の形を借りた架空の生き物で、時間の痕跡となるシミ、皺、たるみを粘土に刻み焼成している。その他、お守りと称した作品制作や、「SANZOKU」名義で彫刻的な（且つぶざけた）食器を展開している。主な個展として、「豊かな感情」Cyg art gallery（2018・岩手）、「どこまでいっても物体」TOKIO OUT of PLACE（2017・東京）、「N.E blood 21 vol.63 根本裕子展」リアス・アーク美術館（2017・宮城）、「一陶 幻想のいきもの—根本裕子展」INAX gallery（2009・東京）。現在、福島県の自宅で陶作。

B3-8

久松知子
小さな物語を描く
2018-2019
旧柏屋
Tomoko Hisamatsu◎1991年、三重県生まれ。山

形県在住。2017年、東北芸術工科大学大学院修士課程日本画領域修了。2019年、同大学院博士課程中退。日本の近現代美術の制度や歴史観への疑問を出発点に、絵画を制作している。近年は、「小さな物語を描く」ことをテーマに、スマートフォンで撮影した画像を基にした、フォトペインティングに取り組んでいる。2018年、大原美術館のアーティストインレジデンスプログラム「ARKO2018」に招聘。合わせて個展を開催。2015年、《日本の美術を埋葬する》で、第7回絹谷幸二賞奨励賞、《レペゼン日本の美術》で第18回 岡本太郎現代芸術賞 岡本敏子賞受賞。また、自身の絵画制作に並行して、既存の美術の制度にとらわれない制作発表の在り方を、他者との協働の中で探求しており、芸術運動体「山形美術界隈」や福島県喜多方市の美術愛好団体「新北方美術倶楽部」に参加している。

アートロード
石巻のキマワリ荘
展示企画構成：有馬かおる

石巻のキワマリ荘とは
地域とアートの関係性に着目しながら継続、成長、発展する場所であり、東北石巻からアートを発信しています。現在、鹿野颯斗、シマワキユウ、SoftRib、ちばふみ枝、富松篤、古里裕美、ミシオの7人で活動しています。メンバー全員が石巻に暮らし、それぞれの表現、視点で制作発表をしています。RAF2019では「暮らし」をテーマに、シマワキユウ、ちばふみ枝、富松篤、古里裕美、ミシオが、震災から 変わりゆく石巻での暮らしの中から石巻の現在の一端に見出したモチーフとしての「家族」「環境」「この土地や人」「営み」へ向けた視線を元に表現し、震災の記憶を抱えた土地で共に現在を生きることの共同性や多様性を示します。

B4-1

シマワキユウ
夫婦の対話
2019
石巻のキワマリ荘

Yu Shimawaki◎1990年、青森県八戸市生まれ。石巻在住。2010年、八戸工業高等専門学校電気情報工学科卒業。2013年、石巻市に移住したのち、映像作家として活動を開始。2017年に「Ishinomaki Film」を立ち上げ、「石巻国際映画祭」を開催。「Reborn-Art Festival 2017」ではアートユニット「シャミコ」による自主制作映画「マツリマツリテ」を上映。同年、アーティスト・有馬かおる氏が立ち上げた「石巻のキワマリ荘」に参加し、自身の作品を発表するギャラリー「マニマニ露店」を運営。2018年、フランス・パリで開催された展覧会「Salon des Beaux Arts 2018」のパフォーマンス

部門に「シャミコ」として参加、金賞を受賞。映像の「媒体性」と自身の「曖昧な境界性」を織り合わせながら、多様な表現を展開している。

B4-2

ちばふみ枝
家族劇場
2019
石巻のキワマリ荘

Fumie Chiba◎1981年、宮城県石巻市出身・在住。2006年、武蔵野美術大学大学院造形研究科美術専攻 彫刻コース修了。同年、椹木野衣氏が審査員を務める「ニュー・アート・コンペティション of Miyagi」に入選。その後、都内中心に作品を発表。2011年、震災を機にUターン。翌年には地元石巻での初の個展「くすんだベール」を開催。震災体験を共有するクライストチャーチと宮城のアーティストたちの協働企画「Shared Lines」に2012年より携わり、仙台メディアテークでのグループ展と翌2013年のカンタベリーミュージアムでのグループ展に参加。2017年、Reborn-Art Festival が終了した後の GALVANIZE Gallery 初の企画展にて個展「serendipity」を開催。窓にかかるカーテンや扉などの「仕切り」の性質に着目し、現実と想像の世界との往還や、自分と自分以外の人や物との関係をテーマに、こちら側とあちら側をつなぐ「場」としての造形を展開している。

B4-3

富松篤
浜とともに
2019
石巻のキワマリ荘

Atsushi Tomatsu◎1985年、和歌山県生まれ。彫刻家。石巻市在住。2011年、東京造形大学大学院造形研究科修了。同年、東京都八王子市に同大学の仲間達とオープンスタジオ「pimp studio」を立ち上げる（2016年まで在籍）。都内を中心に作品を発表。Art Lab Tokyoにて個展「Tomatsu Atsushi solo exhibition」を開催。2013、2014年、ART FAIR TOKYO（Art Lab Tokyoブース）にて出品、「現代における人体彫刻の可能性」というテーマを機軸に人体木彫表現を展開。2016年、東京から石巻市牡鹿半島に制作拠点を移し、「アトリエとアート作品がある浜」とテーマを増やし、「Reborn-Art Festival 2017」で流木を使用した立体作品シリーズ「牡鹿に棲まうもの」を発表、会期終了後、牡鹿半島鮎川浜、桃浦に作品を設置する。2019年、アーティスト有馬かおる氏が立ち上げた「石巻のキワマリ荘」「GALVANIZE gallery」代表になる。

B4-4

古里裕美
MOURNING WORK 01
2019
石巻のキワマリ荘

Hiromi Furusato◎1987年、茨城県生まれ。宮城県石巻市在住。2011年、日本大学文理学部心理学科臨床心理学コース卒業。都内のスタジオ勤務を経て、NPOの記録広報として石巻へ移住、独立。主な展覧会に、2012年「海と共に生きる」（DESIGN FESTA GALLERY HARAJUKU／グループ展）、2013年「ヒカリトカゲ」（マキコム／個展）、2017年「眩いものたち／つづく展」（石ノ森萬画館／グループ展）、同年「つづく展2」（Reborn ART Festival 2017 collaboration Project／グループ展）。2018年「ノスタルジア」（Gallery setten.／個展）。2019年、「the depth of things - 物事の奥底 -」第47回公益社団法人日本広告写真家協会公募展 APAアワード2019写真作品部門において入選。写真とは常に世界との対峙であり、写真を撮るということは未来へ「なにものか」を遺す作業だと思う。生と死、喪失、ものが存在した証を遺し可視化することなどをテーマに写真作品を撮り続ける。

B4-5

ミシオ
暮らす／路上のゴミに顔を描く
2019
石巻のキワマリ荘

Mishio◎1998年、京都府生まれ。宮城県石巻市在住。2017年、京都府の美大を中退。2018年、Reborn-Art Festival 2017をきっかけに石巻市へ移住。「石巻のキワマリ荘」にて、住居兼アトリエ兼ギャラリーの「おやすみ帝国」を立ち上げ、作家活動を行っている。日々、町を徘徊しながら路上に落ちているゴミに顔を描き、「今見えている世界から目線をずらし別の場所へ脱出する」ことをテーマに制作をしている。

アートロード
ART DRUG CENTER

ART DRUG CENTERとは
人はアート（芸術）に救われ生きる活力を得ている。石巻の人々はアートに出会い、希望や活力をもらい乗り越えてゆく。この街にいるために、この街を出るために、この街をつなぐために、死んだ人に会うためにアートを必要とする人たちの展示。

B5-1

Ammy
1/143,701
2019
ART DRUG CENTER

Ammy◎1994年、宮城県生まれ。石巻市在住。2015年、尚美ミュージックカレッジ専門学校卒業。専門学校在学中に写真撮影を始める。35mmフィルムでの写真撮影をメインとし、Instagramや自身のウェブサイトにて作品を展開。主にライブ撮影や日常風景を撮影している。「カメラピープル「誰がなんと言おうと大好きな写真」展」(2015年、東京都)、「塩竈フォトフェスティバル2018」(2018年、宮城県)、「#写真展 2019 元気が出る写真」(2019年、東京都)に参加。代官山 北村写真機店・店長賞を受賞(2019年)。

B5-2

守章
Nick 2001/2019
2019
ART DRUG CENTER

Akira Mori◎1967年、宮城県石巻市生まれ。石巻・東京に在住。1996 年、双子の兄弟ユニットとしての活動を開始。守章は、「私」と「他者」を結び、遠ざける各種メディアが生む「距離感」、集団や自治体などの区分けに存在する見えない「境界」を視聴覚化する制作を行っている。守の作品は、「VIDEONALE 7」(ボン市立美術館・ドイツ)、MOTアニュアル2000「低温火傷」展(東京都現代美術館・東京)、「そらいろユートピア展」(十和田市現代美術館・青森)、「MOTサテライト 2017秋 むすぶ風景」展(清澄白河周辺／東京都現代美術館主宰・東京)、Path-Artの仲間たち 富田俊明×守章「リップ・ヴァン・ウィンクルからの手紙」展(釧路市立美術館・北海道)などで展示されている。

B5-3

有馬かおる
世界はやさしい、だからずっと片思いをしている。
2019
ART DRUG CENTER

B5-4

鹿野颯斗
接触
2019
ART DRUG CENTER

Hayato Kano◎1996年、宮城県石巻市生まれ。石巻市在住。2019年、東北芸術工科大学映像学科卒業。2018年に嶋脇佑と「在(ざい)」というユニットを組み、「石巻のキワマリ荘」2F の「マニマニ露天」で月に一度展示を行い、活動を始める。Videoとは何かを探求しながら作品を制作している。

B5-5

SoftRib
世の中に反旗を翻した私たちの愛の形
2019
ART DRUG CENTER

SoftRib◎1991年、宮城県生まれ。現在は地元、石巻市中心で作家活動を行う。2014年、東北芸術工科大学芸術学部美術科版画コース卒業。ペンによるドローイングや銅版画などさまざまな手法で作品を制作。ほとんどの作品において生き物の骨を組み合わせ、新たな生物を作り、自身が考える新たな世界を構築している。また、それらの造形物を生活空間に配置して写真に収めることにより、虚実を混在させ、独自の世界観と現実世界を結びつけている。日本版画協会「第81回版画展」入選(2013年)。「第6回山本鼎版画大賞展」入選(2015年)。

C 桃浦エリア

キュレーター：小林武史

Takeshi Kobayashi◎音楽家、ap bank代表理事。日本を代表する数多くのアーティストのレコーディング、プロデュースを手掛ける。映画音楽においても『スワロウテイル』『リリイ・シュシュのすべて』を手掛けるなど数々の作品を生み出す。2003年に非営利組織「ap bank」を設立。環境プロジェクトに対する融資から始まり、野外音楽イベント「ap bank fes」の開催や東日本大震災などの被災地支援を続けている。千葉県木更津市で農場も運営し「食」の循環を可視化するプロジェクトも進めている。東日本大震災復興支援の一環としてスタートしたリボーンアート・フェスティバルでは実行委員長および制作委員長を務め、前回は、ビジュアルデザインスタジオWOWとバルーン・アーティストDAISY BALLOONとのインスタレーション作品《D・E・A・U》を制作。

C1

久住有生
淡
2019
八大龍王碑付近

Naoki Kusumi◎1972年、兵庫県淡路島生まれ。祖父の代から続く左官の家に生まれ、3歳で初めて鏝(こて)を握る。高校3年生の夏に、「世界を観てこい」という父の勧めで渡欧したスペインにて、アントニ・ガウディの建築を目の当たりにし、その存在感に圧倒され開眼、左官職人を目指す。日本に戻り、左官技術を学ぶべく18歳からさまざまな親方の許で、本格的な修行を始める。1995年、23歳の時に独立し「久住有生左官」を設立。重要文化財などの歴史的価値の高い建築物の修復ができる左官職人として、国内だけにとどまらず、海外からのオファーも多い。伝統建築物の修復・復元作業だけではなく、商業施設や教育関連施設、個人邸の内装や外装を手がける。現場では企画段階から参加することが多く、デザイン提案なども積極的に行っており、伝統的な左官技術とオリジナティ溢れるアイデアが、国内外での大きな評価につながっている。また、どの現場でもその土地の暮らしや自然を意識しながら、土や材料を選び、ときには地元の暮らしの調査をしてから工事に入るなど、それぞれの風土も大切にしている。通常の仕事の他にも、日本の左官技術を広く伝えるべく、ワークショップや講演会を国内外で開催している。今秋都内、京都とアートワークの単独個展も控えている。

C2

草間彌生
新たなる空間への道標(どうひょう)
2016
タブの木の下

Yayoi Kusama◎前衛芸術家。1929年、長野県松本市に生まれる。幼少期から幻視・幻聴を体験し、網模様や水玉をモチーフにした絵画を制作し始める。様々なオブセッションを乗り越え、作品制作を通して、強迫的な反復による自己消滅という救済を見出す。1957年に渡米後はより抽象度の高いネットペインティング、ソフトスカルプチャー、ミラールームなどのインスタレーションやハプニングなど多様な展開を見せ、前衛芸術家としての地位を確立。以降、世界各地の美術館で展覧会を行う。近年ではテートモダンやポンピドゥーセンターでの大規模回顧展が多大な反響を呼び、中南米巡回ツアーとアジア巡回ツアーでの動員により、2014年に美術館動員最多記録を更新。2017年より、ワシントンのハーシュホン美術館を皮切りに、北米ツアーが巡回。2016年文化勲章を受賞。

C3

SIDE CORE (BIEN、EVERYDAY HOLIDAY SQUAD、リヴァ・クリストフ、森山泰地)
Lonely Museum of Wall Art
2019

防潮堤付近

協力：高橋英貴

SIDE CORE◎2012年、高須咲恵と松下徹により活動を開始。2017年より西広太志が加わる。美術史や歴史を背景にストリートアートを読み解く展覧会「SIDE CORE - 日本美術と『ストリートの感性』-」(2012)発表後、問題意識は歴史から現在の身体や都市に移行し、活動の拠点を実際の路上へと広げる。ゲリラ的な作品を街に点在させ、建築、壁画、グラフィティを巡る「MIDNIGHT WALK tour」は、2017年から現在まで不定期に開催している。2016年からは東京湾岸地域にスタジオプロジェクトチームとして携わるなど、活動は多岐にわたる。主な展示に「rode work」(2017、Reborn-Art Festival、宮城県石巻)、「そとのあそび」(2018、市原湖畔美術館、千葉県市原)、「意味のない徹夜 通りすぎる夜」(2019、AOYAMA STUDIO、東京都青山)

BIEN◎1993年東京都生まれ、壁画やドローイング作品を制作するアーティスト。BIENのドローイングは具象と抽象に揺れ動く、曖昧な線の連続によって描かれている。それはアニメーションやグラフィティなど、様々なサブカルチャーに見られる記号やキャラクターを解体・再構築し、新しい抽象絵画を作り出そうとする試みである。2017年のReborn-Art Festivalではスケートパークのセクションの廃材と、津波で壊れてしまった建物の廃材を利用したインスタレーション作品を発表。今回桃浦エリアでは防潮堤の真横に、防潮堤と同じ形の巨大な彫刻を作り出し、2つの防潮堤の間にドローイング作品を設置。網地島エリアでは開発総合センターの壁面にドローイングを行う。

EVERYDAY HOLIDAY SQUAD◎複数人のアーティストによって構成されるアートチーム。ストリートカルチャーの視点から都市空間やそこにあるルールに介入していく、遊び心溢れたアート作品を制作している。2017年のReborn-Art Festivalでは、夜間工事現場の体をなす野外スケートパークを作りだす作品を発表。今回は防潮堤の上にそびえ立つ「MoWA（Museum of Wall Art）」を企画。美術館内では、壁に関わるアートの様々な歴史を記した作品から、防潮堤に関する新作映像作品を展示する。

Riva Christophe◎1993年大阪生まれ。日本・フランス・中国、多様な文化圏で培った、ユーモア溢れるグラフィティと漫画の表現をするアーティスト。クリストフの作品の多くには、躍動感溢れるタッチで人間が異なるものにトランスフォームする姿が描かれる。それは多文化化する時代に、既存の言語や文化の枠組みで補いきれないコミュニケーションのために生まれた、独自の視覚言語を作り出す試みである。今回は巨大な開発の波に呑まれていく中国の地方都市、そこでクリストフがグラフィティを通して体験した様々な出来事、そのアーカイブと石巻で制作した新作を展示する。

Taichi Moriyama◎1988年東京生まれ。森山は環境（都市／自然）にある目に見えない変化や動き、もしくはその気配を彫刻として具体化する作品を制作している。石や廃材、漂流物など自然の中で動いていく素材を用いながら、主には野外でその場所の環境を生かした表現をおこなう。今回は桃浦に滞在し、津波の変化がもたらした状況下へ滞在を通して、シリーズ作品「水神」の新作を発表。水神とは、日本各地に異なる形で広がる民間信仰で、主には海や川の神を祀っている。森山は姿形のないこの「水神」に自分自身が扮するパフォーマンスを通じ、人と環境の境界線を具現化させる。

C4

パルコキノシタ
命は循環していて、命は神に送られて神は命を人に与える。我々の魂は永遠に続く
2019
リボーンアート・ファーム

Parco Kinoshita◎1965年、徳島県生まれ。1989年、小学校の教員をしていた頃、「日本グラフィック展」パルコ賞受賞をきっかけに、このような呼び名になる。90年代、中高の美術教師を経てイラストレーターに転向、『月刊漫画ガロ』で漫画家デビュー。子供向けワークショップやパフォーマンスを行い広場を中心に活動をしていたという由来で別名「公園の木の下」とも呼ばれる。現代美術グループ「昭和40年会」のメンバーになって以降、活動が海外へ。アジアや欧州での展覧会多数。単独でのゲリラパフォーマンスで国際展に強引に参加する。2004年、仙台市の商店街で開催された「観光とアート展」に参加した時に仙台四郎に間違えられて以降、宮城県では仙台四郎に扮して活動することが多い。2011年、震災以降は被災地や仮設住宅でのアートを生かしたコミュニティ作りに奔走し、復興支援活動を現在も継続している。2017年、石巻での現代アートの祭典「リボーンアートフェスティバル」をきっかけに宮城県に移住。専門は絵画だが、牡鹿半島を拠点に木彫を始める。スマトラ沖地震最大の被災地バンダ・アチェでもアート支援活動を始めている。

C5

ジェローム・ワーグ＋松岡美緒

石巻・自然と食べ物ミュージアム
2019
旧荻浜小学校1F職員室

Jérôme Waag◎パリ出身。カリフォルニア州バークレーにあるレストラン「Chez Panisse」の元総料理長、アーティスト。2016年、「the Blind Donkey」をオープンすべく東京へ移住。2017年、神田に「the Blind Donkey」をオープン。

C6

村田朋泰
脳舞台
−語り継ぎ、言ひ継ぎ行かむ、不尽（ふじ）の高嶺（たかね）は−
2016
旧荻浜小学校保健室

Tomoyasu Murata◎1974年、東京出身。東京藝術大学修士課程美術研究科デザイン専攻伝達造形修了後、コマ撮りアニメーション制作会社（有）TMCを設立。言葉やセリフを排し、仕草や佇まいによる演出で心情を表現し、光の陰影や雨風の移ろう風景を巧みに織り込み「不在」「喪失」「記憶」「死生観」を題材とした作品を通して日本人のアイデンティティを探る制作をしている。代表作として、「睡蓮の人」(2000、第5回文化庁メディア芸術祭アニメーション部門優秀賞)、「朱の路」(2002、第9回広島国際アニメーションフェスティバル優秀賞)、「松が枝を結び」(2017、Asians on film アニメーション部門佳作賞)、Mr.Children「HERO」MVなど。Eテレプチプチ・アニメでは「森のレシオ」が放送中。

C7

村田朋泰
White Forest of Omens
2018
旧荻浜小学校1F外国語活動室

C8

中﨑透
Peach Beach, Summer School
2019
旧荻浜小学校2F全体、プール

原土採取・野焼き監修：芳賀龍一
音響、テキストデザイン：津田翔平
英訳：奥村雄樹
インタビュー協力：松浦達夫、杉浦恵美、木村傳、甲谷強、八巻芳栄
出品協力：松浦達夫、木村傳、八巻芳栄、浜づくり

実行委員会
協力：津田翔平、野地真隆、アサノコウタ、川濱暢也、長崎由幹、名城大学佐藤布武ゼミ、石巻専修大学庄子ゼミ、NPO法人にじいろクレヨン

Tohru Nakazaki◎1976年茨城県生まれ。美術家。武蔵野美術大学大学院造形研究科博士後期課程満期単位取得退学。現在、茨城県水戸市を拠点に活動。言葉やイメージといった共通認識の中に生じるズレをテーマに自然体でゆるやかな手法を使って、看板をモチーフとした作品をはじめ、パフォーマンス、映像、インスタレーションなど、形式を特定せず制作を展開している。2006年末より「Nadegata Instant Party」を結成し、ユニットとしても活動。2007年末より「遊戯室（中崎透＋遠藤水城）」を設立し、運営に携わる。2011年よりプロジェクトFUKUSHIMA! に参加、主に美術部門のディレクションを担当。主な展覧会に「札幌国際芸術祭2017」（500m美術館、北海道）、「そらいろユートピア」（十和田市現代美術館、青森）など。

夜側のできごと
−Peach Beach, Sunset to Sunrise
開催日：8月10日（土）・17日（土）・24日（土）・31日（土）・9月7日（土）・14日（土）・21日（土）・28日（土）
プロデューサー／音楽：小林武史
ディレクター／美術：中﨑透
インタビュー協力：松浦達夫、杉浦恵美、木村傳、甲谷強、八巻芳栄
パフォーマー：芝原弘、塩田歩く、大橋奈央、工藤原野、工藤奈奈、瀧原弘子、小野寺絢香、佐伯誉怜、照井麻美、波望、タケイユウスケ、都甲マリ子
パフォーマーコーディネート：矢口龍汰（いしのまき演劇祭）
音響：高橋健、長崎由幹
ゲスト：伏見眞司、江刺寿宏、亀山貴一、豊嶋純、森夫妻、太田秀浩、阿部ゆういち、沢田のカズ、八巻芳栄、八巻満喜子
フード：松本圭介、佐藤剛、八巻満喜子
フードコーディネート：中村加代子
写真撮影：越後谷出
映像撮影編集：長崎由幹
Special thanks：いしのまき演劇祭、もものうらビレッジ、環境Station、Reborn-Art DINING、はまさいさい、島袋道浩、四家卯大、ジェローム・ワーグ

C9

増田セバスチャン
Microcosmos -Melody-
2018
旧荻浜小学校3F音楽室
※Marunouchi GW Festival 2018
「Art Piano in Marunouchi」にて制作

Sebastian Masuda◎1970年生まれ。文化庁文化交流使、ニューヨーク大学客員研究員、京都造形芸術大学客員教授。90年代より演劇・現代美術界で活動を始め、原宿のKawaii文化をコンテクストに作品を制作。2014年ニューヨーク個展「Colorful Rebellion -Seventh Nightmare-」を皮切りに、世界10都市でアートプロジェクト「TIME AFTER TIME CAPSULE」などを展開中。

C10

深澤孝史
海をつなげる
2019
旧荻浜小学校体育館

Takafumi Fukasawa◎美術家。1984年山梨県生まれ。北海道在住。
場や歴史、そこに関わる人の特性に着目し、他者と共にある方法を模索するプロジェクトを全国各地で展開。最近の主な活動として、タイ南部クラビで行われたTHAILAND BIENNALE2018に参加。東京都の精神障害のある方の通所施設ハーモニーにて、メンバーの方々の複数の現実と信仰をテーマにした《かみまちハーモニーランド》（2018、TURN）を実施。漂着神の伝説が数多く残る町で、漂着廃棄物を現代の漂着神として祀る神社を建立した《神話の続き》（2017、奥能登国際芸術祭）を制作。埋もれた地域の歴史を現代に結びつけ直すことで、市民の主権と文化の獲得を目指す《常陸佐竹市》（2016、茨城県北芸術祭）。里山に民泊し、土地特有の近代化の資料を集めていく《越後妻有民俗泊物館》（2015、第6回大地の芸術祭）。お金のかわりに自身のとくいなことを運用する《とくいの銀行》（2011-、取手アートプロジェクトほか）を企画。2008年に鈴木一郎太とともにNPO法人クリエイティブサポートレッツにて「たけし文化センター」を企画など。

C11

アニッシュ・カプーア
Mirror (Lime, Apple Mix to Laser Red)
2017
旧荻浜小学校倉庫

Anish Kapoor◎1954年インド、ボンベイ生まれ。ロンドン在住。ホーンシー・カレッジ・オブ・アート（1973〜77年）、ロンドン・チェルシー・スクール・オブ・アート大学院（1977〜78年）で学ぶ。ヨーロッパのモダニズムと仏教やインド哲学などの東洋的世界観を融合させ、シンプルな形と独自の素材の選択によって、虚と実、陰と陽など両極的な概念が共存する彫刻作品を制作。第44回ヴェネツィア・ビエンナーレ（1990年）ではイギリスを代表し、デュエミラ賞を受賞。1991年、ターナー賞受賞。2011年、高松宮殿下記念世界文化賞受賞。2013年、文化貢献に対してナイトの称号を授与される。近年の主な個展に、「Anish Kapoor chez Le Corbusier」（ラ・トゥーレット修道院、エヴー／ヴェルサイユ宮殿、ヴェルサイユ、2015年）、「アニッシュ・カプーア in BEPPU」（大分、2018年）など。恒久設置されたコミッション作品に、ロンドン オリンピック・パークの《オービット》（2012年）、世界初の空気注入による可動式コンサートホール《アーク・ノヴァ》（2013年）など。

C12

増田セバスチャン
ぽっかりあいた穴の秘密
2019
旧荻浜小学校校庭

共同制作：dot architects、京都造形芸術大学ウルトラファクトリー、Lovelies Lab. Design Studio

D 荻浜エリア

キュレーター：名和晃平

Kohei Nawa◎1975年生まれ。彫刻家、Sandwich Inc.主宰、京都芸術大学教授。京都を拠点に活動。2003年京都市立芸術大学大学院美術研究科博士課程彫刻専攻修了。2009年、京都に創作のためのプラットフォーム「Sandwich」を創設。感覚に接続するインターフェイスとして、彫刻の「表皮」に着目し、セル（細胞・粒）という概念を機軸として、2002年に情報化時代を象徴する「PixCell」を発表。生命と宇宙、感性とテクノロジーの関係をテーマに、重力で描くペインティング「Direction」やシリコーンオイルが空間に降り注ぐ「Force」、液面に現れる泡とグリッドの「Biomatrix」、そして泡そのものが巨大なボリュームに成長する「Foam」など、彫刻の定義を柔軟に解釈し、鑑賞者に素材の物性がひらかれてくるような知覚体験を生み出してきた。近年では、アートパビリオン「洸庭」など、建築のプロジェクトも手がける。2015年以降、ベルギーの振付家／ダンサーのダミアン・ジャレとの協働によるパフォーマンス作品「VESSEL」を国内外で公演中。2018年にフランス・ルーヴル美術館 ピラミッド内にて彫刻作品《Throne》を特別展示。

D1

名和晃平
White Deer (Oshika)
2017
ホワイトシェルビーチ

D2

野村仁
Analemma–Slit : The Sun, Ishinomaki
2019
ホワイトシェルビーチ

Hitoshi Nomura◎1969年京都市立美術大学専攻科彫刻専攻修了。60年代末、「Tardiology」「Dryice」の撮影において、自然の秩序やエネルギーが生み出す形象をコントロールすることなく受け入れると、偶然の形の連続の中に現象全体を貫通する必然の力のようなものが立ち現れるのを実感して以降、写真を表現媒体とし「時間と空間の性質を同等に際立たせた作品を…」と思うに至る。

近年の個展
2018 野村仁「宇宙開闢年表-Cosmic Sensibilityが成し遂げた3つのステージ 又は 限りなく遠い記憶」
2017 野村仁「光と地の時間」
2015 Hitoshi Nomura : Contingency and Necessity
2013 野村仁「身体／知覚 又は 私を'私'とおもう私」
2010 Hitoshi Nomura : MARKING TIME
2009 野村仁「宇宙から見る、ここから…」、野村仁「変化する相─時・場・身体」

D3

今村源
きせい・キノコ†2019
2019
ホワイトシェルビーチ沿いの浜

Hajime Imamura◎1957年、大阪に生まれる。1983年、京都市立芸術大学大学院美術研究科修了。1980年代半ばより、ボール紙、発砲スチロール、石膏、針金など軽い素材を用いて制作を開始。それらを含む場の空気にも関心を寄せる。近年キノコへの興味や"私"について考える制作を継続中。主な展覧会に、「今村源展─連菌術 Over the Ground, Under the Ground─」(伊丹市立美術館・兵庫・2006年)、「 Shizubi Project 3 わた死としてのキノコ 今村源」(静岡市美術館・静岡・2013年)、「起点としての80年代」(金沢21世紀美術館・石川・2018年、高松市立美術館・香川・2018年、静岡市立美術館・静岡・2019年)がある。

D4

WOW
Emerge
2019
ひとつめの洞窟

協力: 有限会社涼仙、TASKO inc.、ポノール・エクスペリメンツ

WOW◎1997年設立。東京、仙台、ロンドン、サンフランシスコに拠点を置くビジュアルデザインスタジオ。CMやコンセプト映像など、広告における多様な映像表現から、さまざまな空間におけるインスタレーション映像演出、メーカーと共同で開発するユーザーインターフェイスデザインまで、既存のメディアやカテゴリーにとらわれない、幅広いデザインワークをおこなっている。さらに、最近では積極的にオリジナルのアート作品やプロダクトを制作し、国内外でインスタレーションを多数実施。作り手個人の感性を最大限に引き出しながら、ビジュアルデザインの社会的機能を果たすべく、映像の新しい可能性を追求し続けている。

受賞歴
2017 London International Award Design 部門 Digital Installations: Gold
2017 THE ONE SHOW Gold
2018 Webby Award Winner / FILM & VIDEO 360-Video
2019 Frame Award
2019 iF デザインアワード2019 Gold Award
2019 Webby Award Honoree / General Video-Art&Experimental
2019 CANNES LIONS Bronze for Entertainment Lions for Music, Shortlist for Sustainable Development Goal

D5

名和晃平
Flame
2019
ふたつめの洞窟

サウンドスケープ: 原摩利彦
協力: 有限会社涼仙

D6

村瀬恭子
かなたのうみ
2019
みっつめの洞窟

Kyoko Murase◎1963年岐阜県岐阜市生まれ。86年に愛知県立芸術大学を卒業し、89年に同大大学院修了。90年から96年まで国立デュッセルドルフ芸術アカデミーに在籍。93年には、コンラッド・クラペックよりマイスター・シューラー取得。主な個展として、「park」タカ・イシイギャラリー(東京、2019年)、「絵と、vol.3 村瀬恭子」ギャラリーαM(東京、2018年)、「Fluttering far away」豊田市美

術館(愛知、2010年)、「セミとミミズク」ヴァンジ彫刻庭園美術館(静岡、2007年)などが挙げられる。また、「絵画の庭─ゼロ年代日本の地平から」国立国際美術館(大阪、2010年)、「放課後のはらっぱ─櫃田伸也とその教え子たち」愛知県立美術館・名古屋市立美術館(愛知、2009年)、「Red Hot: Asian Art Today from the Chaney Family Collection」ヒューストン美術館(2007年)、「六本木クロッシング」森美術館(東京、2004年)、「MOT アニュアル 2002−フィクション？ 絵画がひらく世界─」東京都現代美術館(東京、2002年)などのグループ展に参加している。

ダミアン・ジャレ＋中野公揮
ダンス・ワークショップ
振付: ダミアン・ジャレ
キュレーター: 名和晃平
特別参加: 中野公揮(ピアノ)
ダンサー: エミリオス・アラポグル、森井淳、皆川まゆむ、三東瑠璃、村上渉、バンジャマン・ベルトラン
協力: Sandwich Inc.、京都芸術大学 ULTRA SANDWICH PROJECT #15

Damien Jalet◎振付家／ダンサー。ダンスをはじめ、彫刻家のアントニー・ゴームリーやミュージシャン、振付師、映画監督、デザイナーらと作品の合同制作をするほか、オペラや音楽ビデオの振付を手がけ、その活動は多岐にわたる。2013年パリ国立オペラにおいて、シディ・ラルビ・シェルカウイとマリーナ・アブラモヴィッチと共同創作した『Boléro』を初演、芸術文化勲章シュヴァリエ章を受章し好評を得た。近作として、ジム・ホッジズらとコラボレーションした『THR(O)UGH』(2015年)、『BABEL 7.16』(2016年、「アヴィニョン演劇祭 2016」)などがある。2017年には、イギリスのナショナル・ユース・ダンス・カンパニーのアーティスティックディレクターに任命されている。

Koki Nakano◎ピアニスト／作曲家。1988年福岡生まれ。桐朋女子高等学校音楽科(共学)ピアノ専攻を卒業。東京藝術大学作曲科入学後、パリに拠点を移す。フランス／バルビゾン市主催 "Festival international de Barbizon" のオープニング曲作曲。ブダペスト／ステファニアパロタ城、パリ／ルーブル美術館、フランス文化・通信省、パリ／シャトレ座、パリ／Théâtre des Bouffes du Nord、ロンドン／Cadogan Hall などで演奏。2016年9月にファーストアルバム『Lift』を発表。

E 小積エリア

キュレーター: 豊嶋秀樹

Hideki Toyoshima◎1971年、大阪府生まれ。

1998年graf設立に携わる。2009年よりgm projectsのメンバーとして活動。作品制作、展覧会企画、空間構成、ワークショップなど幅広いアプローチで活動している。これまでの主な仕事に、「押忍!手芸部と豊嶋秀樹『自画大絶賛(仮)』」(2011、金沢21世紀美術館)でのコラボレーション、「三沢厚彦 ANIMALS」(2011-2015)、「あいちトリエンナーレ」(2010、愛知県美術館)、「新次元・マンガ表現の現在」(2010、水戸芸術館、茨城／韓国／ベトナム／フィリピン／国際交流基金)での空間構成、「KITA!!: Japanese Artists meet Indonesia」(2008、インドネシア／国際交流基金)でのキュレーションなどがある。また、奈良美智とのコラボレーション、YNGの中心的人物として「奈良美智+graf A to Z」(2006、青森)をはじめとして世界各地で開催されたプロジェクトに参加した。2015年には編著書『岩木遠足 人と生活をめぐる26人のストーリー』を刊行。

E1

淺井裕介
すべての場所に命が宿る＠牡鹿のスケッチ
2019
フェルメント周辺

Yusuke Asai◎1981年東京生まれ。東京在住。淺井は個人のアトリエでの制作と並行して、2003年よりマスキングテープに耐水性マーカーで植物を描く「マスキングプラント」の制作を開始。また、滞在制作する各々の場所で採取された土と水を使用し、動物や植物を描く「泥絵」や、アスファルトの道路で使用される白線素材のシートから動植物の形を切り出し、バーナーで焼き付けて制作する「植物になった白線」など、条件の異なったいかなる場所においても作品を展開する。近年は立て続けに30mをゆうに超える壁画の大作を発表して注目を集めた。淺井の描く動植物たちは多くの場合画面に隙間なく併置され、大きな動物の中に入れ子状に小さな動物が現れたりと、ミクロの中にマクロが存在するこの宇宙の生態系を表しているようでもある。近年の主な個展に、彫刻の森美術館での「淺井裕介 — 絵の種 土の旅」(2015-2016年)。また、ヴァンジ彫刻庭園美術館での「生きとし生けるもの」(2016年)、「瀬戸内国際芸術祭」(2013-2016年・犬島)、「越後妻有アートトリエンナーレ2015」、ヒューストンのRice Galleryでの個展「yamatane」(2014年)など国内外のアートプロジェクトに多数参加している。

E2

在本彌生＋小野寺望
The world of hunting
2019

フェルメント

Yayoi Arimoto◎1970年東京生まれ。写真集に『Magical Transit Days』(アートビートパブリッシャーズ)、『わたしの獣たち』(青幻舎)、『熊を彫る人』(小学館)がある。

Nozomu Onodera◎1967年、宮城県気仙沼市生まれ。宮城県県石巻市在住。宮城県猟友会石巻支部所属。牡鹿半島でニホンジカの有害獣駆除を担い、狩猟や野生食材などを採取しながら、食材の育つ背景を伝える食猟師。石巻の四季折々の気候風土に育まれた自然の恵みと、野生食材が持つ本来の味と姿を食と自然体験のプロジェクトを通して発信し続けている。2017年よりリボーンアート・フェスティバルに関わり、鹿肉解体処理施設「FERMENTO」の運営を任されている。「Antler Crafts(アントラークラフツ)」として活動。

E3

坂本大三郎＋大久保裕子
いつかあなたになる
2019
フェルメント周辺

映像撮影・編集: 金巻勲
映像出演: アオイヤマダ
協力: oi-chan、Villa Magical 2014

Daizaburo Sakamoto + Yuko Okubo◎その土地のもの語ること、私たち身体のもの語ることを横断し、新たな身体表現作品を発表するプロジェクト。坂本大三郎は、山伏。千葉県出身。芸術・芸能といった文化の発生や発展に関心をもって、東北の出羽三山を拠点に執筆や作品制作などの活動を行なっている。著作に『山伏と僕』(リトルモア)などがある。大久保裕子は、牧阿佐美バレエ団を経て、コンテンポラリーダンサーとして活動。アートとダンスの領域を横断する KATHYを結成。シチズン100周年イベントなど、国内外で広く演出を手がける。

パフォーマンス公演
いつかあなたになる
構成・演出・出演: 坂本大三郎、大久保裕子
出演: アオイヤマダ (ダンス)、鎮座DOPENESS (音と言葉)
音響設計: WHITELIGHT
映像撮影・制作: 金巻勲
テクニシャン: 河内崇
キュレーター: 豊嶋秀樹
会場協力: 彰徳館
衣装協力: FEMALE GIANT
協力: oi-chan、Villa Magical2014、工藤たまこ、

NUM NUAN、井上尚子、吉岡洋子、ボランティアの皆さん

E4

志賀理江子
Post Humanism Stress Disorder
2019
フェルメント周辺

協力: 石堂建設

Lieko Shiga◎1980年愛知県生まれ。2004年Chelsea College of Art and Design(ロンドン)卒業。08年より宮城県在住。12年「螺旋海岸」展(個展・せんだいメディアテーク)、15年「In the Wake」展(ボストン美術館)、「New Photography 2015」展(ニューヨーク近代美術館)、17年「ブラインド・デート」展(個展・猪熊弦一郎現代美術館)、19年「ヒューマン スプリング」展(個展・東京都写真美術館)など。

E5

津田直
Elnias Forest
2018
やがて、鹿は人となる／やがて、人は鹿となる
2019
フェルメント周辺

Nao Tsuda◎1976年神戸生まれ。世界を旅し、ファインダーを通して古代より綿々と続く、人と自然との関わりを翻訳し続けている写真家。文化の古層が我々に示唆する世界を見出すため、見えない時間に目を向ける。2001年より国内外で多数の展覧会を中心に活動。主な作品集に、奥琵琶湖にて姿を消した舟を追い続けた『漕』(主水書房)、モロッコ・モンゴル・中国を旅し、風の河を主題とした『SMOKE LINE』、アイルランドの島々に残る古代遺跡を巡った『Storm Last Night』(共に赤々舎)がある。フィールドワークを元にした写真集では、北極圏に暮らすサーメ人の文化に触れた『SAMELAND』、ミャンマー北部の少数民族の祭りに立ち会った『NAGA』、沖縄の離島にて土地に根づく信仰を辿った『IHEYA・IZENA』(共にlimArt)を三部作として刊行。最新作『Elnias Forest(エリナスの森)』(handpicked)はリトアニアを舞台に、古代の自然信仰の気配を映し出している。

E6

堀場由美子
その後の物語 – He knows everything - Vol.2

2019
フェルメント周辺

Yumiko Horiba◎東京生まれ。東京藝術大学大学院美術研究科修了。主に北海道をフィールドに獣道を歩き、鹿の角や骨、鳥の羽根や木や葉など、その地に暮らす生命の断片を拾い集めそれらを素材とした立体作品を制作し、獣道で出逢う風景や生き物との出来事を写真や文章にして発表している。

F 鮎川エリア

キュレーター：島袋道浩

SHIMABUKU◎美術家。1969年生まれ。神戸市出身。12年間のドイツ、ベルリン滞在後、2017年より那覇市在住。1990年代初頭より国内外の多くの場所を旅し、そこに生きる人々の生活や文化、新しいコミュニケーションのあり方に関するパフォーマンスやインスタレーション作品を制作。詩情とユーモアに溢れながらもメタフォリカルに人々を触発するような作風は世界的な評価を得ている。パリのポンピドゥー・センターやロンドンのヘイワード・ギャラリーなどでのグループ展やヴェニス・ビエンナーレ（2003、2017年）、サンパウロ・ビエンナーレ（2006年）、ハバナ・ビエンナーレ（2015）、リヨン・ビエンナーレ（2017年）などの国際展に多数参加。前回、2017年のリボーン・アート・フェスティバルにも参加し、鮎川ののり浜で「起こす」という作品を発表した。2020年にはヨーロッパ各地での大規模な個展が企画されている。作品はポンピドゥー・センターやモナコ新国立美術館など世界各地の美術館やアートセンターに収蔵されている。著書に『扉を開ける』（リトルモア）、絵本『キュウリの旅』（小学館）など。

F1

吉増剛造
詩人の家
2019
鮎川集会所近くの成源商店

Gozo Yoshimasu◎詩人。1939年東京生まれ。1945年慶応義塾大学文学部卒業。大学在学中に詩誌「ドラムカン」に拠って、疾走する言語感覚と破裂寸前のイメージで、60年代詩人の旗手として詩壇に登場。1964年、第一詩集『出発』刊行以来、半世紀にわたって、日本各地、世界各地を旅して、さまざまな土地の精霊や他者の声を呼び込んだ詩空間へとフェーズを変えながら、現代詩の先端を拓きつづける。詩集に『黄金詩篇』『草書で書かれた、川』『オシリス、石ノ神』『螺旋歌』『怪物君』など多数。また『わたしは燃えたつ蜃気楼』『生涯は

夢の中径——折口信夫と歩行』など多数の評論があり、朗読パフォーマンスの先駆者としても国内外で活躍。近年は、『表紙 omote-gami』（毎日芸術賞）などの自身の詩と組み合わせた多重露光の写真表現や、「gozo-ciné」と呼ばれる詩のドキュメントを表す映像作品、銅板に文字を打刻するオブジェ制作など、視聴覚をはじめ五感を研ぎ澄ませた未踏の領域を切り拓いている。2015年文化功労者、藝術員賞・恩賜賞を贈られる。日本藝術院会員。2016年に東京国立近代美術館にて「声ノマ全身詩人、吉増剛造」展、2017年から2018年に、足利市立美術館、沖縄県立博物館・美術館、松濤美術館にて「涯テノ詩聲 詩人 吉増剛造展」が開催される。

F2

野口里佳
鮎川の穴
2019
鮎川集会所近くの新聞屋建物とその前の空き地

Noguchi Rika◎写真家。1971年生まれ。さいたま市出身。那覇市在住。1994年日本大学芸術学部写真学科卒業。大学在学中より写真作品の制作を始め、以来国内外で展覧会を中心に活動。微視と巨視を行き来するような独自の視点、人間の謎に触れるような対象の選択、その透明な色彩と詩情豊かな表現力は国内外から高い評価を受け、写真の世界だけにとどまらず現代美術の国際展にも数多く参加している。主な個展に「予感」（丸亀市猪熊弦一郎現代美術館、香川、2001）、「飛ぶ夢を見た」（原美術館、東京、2004）、「光は未来に届く」（IZU PHOTO MUSEUM、静岡、2011〜2012）など。グループ展に「55th Carnegie International：Life on Mars」（ピッツバーグ、アメリカ、2008）、第21回シドニービエンナーレ：SUPERPOSITION: Art of Equilibrium and Engagement」（2018）などがある。著書に『鳥を見る』（2001 P3 art and environment）、『この星』（2004 原美術館／アイコンギャラリー）、『太陽』（2009 IZU PHOTO MUSEUM）、『夜の星へ』（2016 IZU PHOTO MUSEUM）など。国立近代美術館（東京）、国立国際美術館（大阪）、グッゲンハイム美術館（ニューヨーク）、ポンピドゥー・センター（パリ）などに作品が収蔵されている。

F3

野口里佳
鮎川の道
2018
クマンバチ
2019
猿と桜

2019
鮎川集会所近くの木村商店

F4

青葉市子
風の部屋
2019
鮎川集会所近くの成源商店別棟

音響：sonihouse
録音：東岳志

Ichiko Aoba◎音楽家。1990年1月28日生まれ。2010年にファーストアルバム『剃刀乙女』を発表以降、これまでに7枚のオリジナルアルバムをリリース。うたとクラシックギターをたずさえ、日本各地、世界各国で音楽を奏でる。近年は、ナレーションやCM、舞台音楽の制作、芸術祭「Reborn-Art Festival 2019」でのインスタレーション作品発表など、さまざまなフィールドで創作を行う。活動10周年を迎えた2020年、自主レーベル「hermine」（エルミン）を設立。体温の宿った幻想世界を描き続けている。同年12月2日、"架空の映画のためのサウンドトラック"としてニューアルバム『アダンの風』を発売した。21年6月21日には渋谷Bunkamuraオーチャードホールにて、アルバムの録音に携わったメンバーと共に室内楽編成によってコンサートを開催。7月7日に『アダンの風』のアナログ盤が発売。
http://www.ichikoaoba.com
https://hermine.jp/

F5

島袋道浩
鮎川の土——起きる／鮎川展望台
2019
鮎川集会所3Fバルコニー

F6

石川竜一
痕
2019
鮎川集会所3F

Ryuichi Ishikawa◎写真家。1984年沖縄県生まれ。沖縄国際大学社会文化学科卒業。在学中に写真と出会う。2008年より前衛舞踊家、しば正龍に師事。2013年頃まで付き人を務め、舞台に立ちながら氏を撮影する。2010年より写真家、勇崎哲史に師事。撮影、展覧会や写真集の制作、座学ワークショップ等、写真に関わる広い分野の企画から運営までのアシスタントを務める。2014年に沖縄の

人々や身近な環境で撮影したスナップ写真をまとめた『okinawan portraits 2010-2012』『絶景のポリフォニー』を赤々舎から発表し、木村伊兵衛賞、日本写真協会新人賞、沖縄タイムス芸術選奨励賞を受賞。

近年では日常のスナップやポートレイトに加え、自身の住むアパートの部屋とその窓から日常的に見える景色や人々、戦闘機などを空間的に展開した「home work」や、同性愛の男性とその母親の死を映像と写真で綴った「MITSUGU」など、現代の矛盾と混沌に向き合いつつも、そこから光を探るような作品を発表している。活動の場も日本国内外に広がり、その内容もビデオ作品や他ジャンルのアーティストとの共作、ミュージシャンとのセッションなど多岐にわたる。

F7

石川竜一
掘削
2019
コバルト荘跡地

F8

島袋道浩
白い道
2019
コバルト荘跡地の下

F9

吉増剛造
room キンカザン
2019
ホテルニューさか井

F10

青葉市子
時報
2019
石巻市内からCD-Rに変更

F11

Yotta
〜牡鹿コミュニティ・プロジェクト〜
くじらのカーニバル
2018–
おしかのれん街

協力：Reborn-Art Festival × Tカード「石巻のこどもたちとアートを作ろう」

Yotta◎ヨタ（Yotta）は、木崎公隆・山脇弘道からなる現代アートのユニット。2010年結成。ジャンルや枠組み、ルールや不文律など、あらゆる価値観の境界線上を発表の場としており、それらを融解させるような作品制作を行っている。現在は、自分達のアイデンティティから世界のカタチを捉え直す作品シリーズを制作中。2015年に「金時」で第18回岡本太郎現代芸術賞岡本太郎賞受賞ほか、六本木アートナイト2010, 2012、おおさかカンヴァス2011, 2012, 2016、Reborn-Art Festival 2017など参加多数。その他、のせでんアートライン2017のプロデュース、小学校でのワークショッププログラムの実施など、幅広く活動。

――――

鮎川エリア宿泊協力：太平ビルサービス株式会社
石巻営業所

G 網地島エリア

キュレーター：和多利恵津子、和多利浩一

Etsuko Watari◎1956年、東京都生まれ。ワタリウム美術館館長。早稲田大学文学部卒業。1980年、ミュージアムショップ・オン・サンデーズ設立。1990年、ワタリウム美術館設立。「ロトチェンコの実験室」「R.シュタイナー展」「重森三玲展」「ブルーノ・タウト展」など、現代美術から建築まで幅広い内容の展覧会をキュレーションする。

Koichi Watari◎1960年、東京都生まれ。ワタリウム美術館CEO。早稲田大学社会科学部卒業。1990年、ワタリウム美術館設立。1992年国際展「ドクメンタ9」で初の日本人スタッフとして参加。1995年、第1回ヨハネスブルグ・ビエンナーレの日本代表コミッショナー。東京都写真美術館の作品購入評議員、（公）岡本太郎記念芸術振興財団理事などを歴任。地域ボランティア活動として「原宿・神宮前まちづくり協議会」を発足させ、その初代代表幹事を務める。

G1

バリー・マッギー with スクーターズ・フォー・ピース
無題
2019
網地港前のり面

壁面施工：BOTANIX
制作チーム：D.Marshall, T.Ormsby, F.Deiana and A.McGee
協力：Ratio 3, San Francisco
作品制作協力：株式会社大阪美装

Barry McGee◎1966年、アメリカ生まれ。1991年、サンフランシスコ芸術院卒業。1992-97年、サンフランシスコ芸術基金、その他のコミッションワークとして、市内各所にて壁画制作を行なう。1998年、サンフランシスコ近代美術館で巨大な壁画を制作し、同館のパーマネント・コレクションに選定された。同年、ミネアポリス、ウォーカー・アート・センターで、初の個展を開催。全米のアート・シーンに衝撃を与えた。2001年、ベニス・ビエンナーレに史上最大のインスタレーション作品を出品。一方、「TWIST」というタグ名で知られるグラフィティ・アーティストとしての彼の活動は、あくまでもストリートやコミュニティに対する意識を持ち続けることで継続された。それらは、ストリートで生きる人々をテーマに、つくり続けられている。

G2

ロイス・ワインバーガー
組織学の断面
2000
木村旅館

Loïs Weinberger◎1947年　オーストリア、チロル地方の山間部の農村で生まれる。
1970年代〜　自然と人工の空間を対象に、制作活動を開始。
1988年〜　ウィーンの自庭で育てた荒地植物を各所に植えるというガーデン・プロジェクトを開始。
1991年　第21回サンパウロ・ビエンナーレに参加。
1997年　ドクメンタX（ドイツ・カッセル）に参加。
2000年　ウィーン近代美術館（オーストリア・ウィーン）で個展開催。
2009年　第53回ベニス・ビエンナーレにオーストリア館代表として参加。
2014年　S.M.A.K.（ベルギー・ゲント）で個展開催。
2017年　ドクメンタ14（ドイツ・カッセル、ギリシャ・アテネ）に参加。
2019年　Museum Tinguely（スイス・バーゼル）で新作個展「デブリ・フィールド」開催。
現在ウィーンを拠点として活動中。1990年代以降、自然とアートに関する議論に影響を与えつづけ、国内外で多くの個展を開催・国際展に参加しているほか、多数の賞を受賞している。

G3

ロイス・ワインバーガー
ガーデン
1994/2019
熊野神社

素材協力：株式会社エンテック

G4

ロイス・ワインバーガー
植物の生命
2011
熊野神社

映像: 15分3秒

G5

ロイス・ワインバーガー
ある場所
1996
熊野神社

訳: 縄田雄二

G6

ロイス・ワインバーガー
私——雑草——
2004
熊野神社

訳: 縄田雄二

G7

石毛健太
この波際
2019
熊野神社

Kenta Ishige◎1994年神奈川県生まれ。美術家、インディペンデント・キュレーター、DJ。物語の読み替えや都市論の再考等をテーマに制作する。
主な展示に「カーゴ・カルト in KENPOKU」（茨城・2017）、「Escape from the sea」（クアラルンプール・2017）、「変容する周辺　近郊、団地」（東京・2018）（キュレーション）、「生きられた庭」（京都・2019）

G8

バリー・マッギー
無題（バス停）
2019
市民バス網地島線「上ノ山」バス停

G9

BIEN
幕間
2019
網地島開発総合センター

作品制作協力: 鈴木建築

G10

ジョン・ルーリー
ボクは胃痛持ち
2012
網地島開発総合センター
会場デザイン: フジワラテッペイアーキテクツラボ

John Lurie◎1952年 アメリカ、ミネアポリスで生まれる。
1978年 ジャズバンド「ラウンジ・リザーズ」のサックス奏者として活動。
1980年代 「ストレンジャー・ザン・パラダイス」(1984)などジム・ジャームッシュ監督の映画に出演し、俳優として独特の存在感を発揮。
1990年代後半 ライム病を患い、音楽・俳優活動を休止。
2004年以降 1980年代から描いていたドローイング作品を展示。画家としてのジョン・ルーリーが広く知られるようになった。
2014年 ニューヨーク、Cavin-Morris Gallery で個展開催。
2015年 ポーランド、ワルシャワの Zacheta National Gallery of Art で個展開催。
2016年 イタリア、ミラノの M77 Gallery で個展開催。

G11

フィリップ・パレーノ
類推の山
2001/2019
島の楽校の裏手 旧校舎

制作協力: 阿部建築
機材協力: NEC

Philippe Parreno◎1964年 アルジェリアで生まれる。
2013年 パリ、パレ・ド・トーキョーにて大規模個展を開催。
2015年 第56回ベニス・ビエンナーレに参加。
2016年 ロンドン、テート・モダンのタービンホールで個展「Anywhen」開催。
2017年 上海で個展「Synchronicity」(Serralves Museum of Contemporary)、ポルトガルで個展「A Time Coloured Space」(Serralves Museum of Contemporary Art) 開催。第57回ベニス・ビエンナーレに参加。
現在、フランス、パリで活動中。
フィリップ・パレーノは、映像・音・ドローイング・彫刻・パフォーマンスなど多様な表現手段を用いて、時間の感覚を拡張し、現実とフィクションとの区別を

解放する。パレノの展覧会は、カメラのない映画のように構成される。2013年のパレ・ド・トーキョーでの個展「Anywhere, Anywhere Out of the World」では、それぞれの作品でテクノロジー、生体反応、鑑賞者とのインタラクションなどを通してランダムな効果を生み出し、展覧会をひとつの有機体のように作り上げた。

G12

アラン
限られたフィールドとリソースから見えてくるもの
2019
涛波岐埼灯台への道の入口付近

Alan◎1991年 鳥取に生まれる
2014年 成安造形大学芸術学部芸術学科卒業
2015年 鳥取大学大学院地域学研究科中退後パープルーム予備校2期生になる
2017年 ボードゲーム制作チーム「arquetendu」を結成
主な個展
2018年「communicatio – コムニカチオ」TAV GALLERY、東京
主なグループ展
2015年「パープルーム大学物語」ARATANIURANO、東京
2015年「"KITAJIMA/KOHSUKE"#12 ～果ての二十日の81～」カタ／コンベ、東京
2016年「パープルタウンにおいでよ」パープルーム予備校他、相模原
2016年「X会とパープルーム」もりたか屋、いわき
2017年「パープルームのオプティカルファサード」ギャラリーN、名古屋
2017年「パープルーム予備校生のゲル」エビスアートラボ、名古屋
2017年「恋せよ乙女！パープルーム大学と梅津庸一の構想画」ワタリウム美術館、東京
2017年「パープルーム大学 先端から末端のファンタジア」ギャラリー鳥たちのいえ、鳥取

G13

青木陵子＋伊藤存
海に浮かぶ畑がつくり始めると、船の上の店は伝言しだす
2019
涛波岐埼灯台への道のかくれた畑

Ryoko Aoki + Zon Ito◎青木は動植物や日常の断片、幾何学模様などをイメージの連鎖で描き、その素描を組み合わせたインスタレーションを手がける。伊藤は刺繍の作品をはじめとして、小さな立体、粘土絵などを制作。個々に作品制作を行いながら2000年よりアニメーションを中心とした共同制

作も始め、近年では人の心の成長をテーマに数学者の岡潔のエッセイを主軸とした映像インスタレーション「9歳までの境地」を国内外で発表している。

青木陵子
1974年　兵庫県で生まれる。
2007年　ドクメンタ12に参加。
2018年　個展「三者面談で忘れてる NOTEBOOK」(Take Ninagawa)開催。
伊藤存
1971年　大阪府で生まれる。
2003年　個展「きんじょのはて」(ワタリウム美術館)開催。
2016年　個展「ふしぎなおどり」(タカ・イシイギャラリー)開催。

G14

梅田哲也
針の目
2019
涛波岐埼灯台付近

制作協力: 株式会社宝栄建設
特別協力: 株式会社丸本組

Tetsuya Umeda◎おもにインスタレーションを制作している。作品はよく建築や音楽のようにとらえられる。なにを作るかは手をつけてみないとわからない。近年の展覧会に「札幌国際芸術祭2017」、「東海岸大地藝術節」(台東、2018年)、個展に「See, Look at Observed what Watching is」(Portland Institute for Contemporary Art、ポートランド、2016年)。パフォーマンス作品では「Composite: Variations」(Kunstenfestivaldesarts 2017、ブリュッセル)、「INTERNSHIP」(国立アジア文化殿堂、光州、2016年 / TPAM 2018、KAAT神奈川芸術劇場ホール)などがある。

G15

真鍋大度+神谷之康研究室
dissonant imaginary
2019
吉田家の石蔵

Daito Manabe◎東京を拠点としたアーティスト、インタラクションデザイナー、プログラマ、DJ。2006年 Rhizomatiks 設立、2015年より Rhizomatiks の中でも R&D 的要素の強いプロジェクトを行う Rhizomatiks Research を石橋素氏と共同主宰。身近な現象や素材を異なる目線で捉え直し、組み合わせることで作品を制作。高解像度、高臨場感といったリッチな表現を目指すのでなく、注意深く観察することにより発見できる

現象、身体、プログラミング、コンピュータそのものが持つ本質的な面白さや、アナログとデジタル、リアルとバーチャルの関係性、境界線に着目し、デザイン、アート、エンターテイメントの領域で活動している。坂本龍一、Bjork、OK GO、Nosaj Thing、Squarepusher、アンドレア・バッティストーニ、野村萬斎、Perfume、サカナクションを始めとした様々なアーティストからイギリス、マンチェスターにある天体物理学の国立研究所ジョドレルバンク天文物理学センターやCERN(欧州原子核研究機構)との共同作品制作など幅広いフィールドでコラボレーションを行っている。Ars Electronica Distinction Award, Cannes Lions International Festival of Creativity Titanium Grand Prix, D&AD Black Pencil、メディア芸術祭大賞など国内外で受賞多数。

G16

ロイス・ワインバーガー
小道——場所の破壊的な征服
2001/2019
青いトタンの納屋

G17

青木陵子+伊藤存
海に浮かぶ畑がつくり始めると、船の上の店は伝言しだす
2019
旧駄菓子店 奥田屋

コラボレーター: 青木節子、芦田朋子、芦田喜代美、井出賢嗣、宇加治志帆、佐々木ひろこ、新道牧人、千葉正也、万代洋輔、モアレ、八木春香、薮内美佐子、島の方々

G18

ロイス・ワインバーガー
ガーデン
2019
座敷の家の空き地

素材協力: 株式会社LIXIL

G19

持田敦子
浮く家
2019
米谷家付近

Atsuko Mochida◎1989年東京生まれ。東京藝術大学大学院先端芸術表現専攻修了、バウハウス

大学ワイマール大学院 Public Art and New Artistic Strategies 修了。プライベートとパブリックの境界にゆらぎを与えるように、既存の空間や建物に、壁面や階段などの仮設性と異種感の強い要素を挿入し空間の意味や質を変容させることを得意とする。主な展覧会に「近くへの遠回り一日本・キューバ現代美術展」(2018、ハバナ)など。

G20

浅野忠信
無題
2006–2019
米谷家付近

Tadanobu Asano◎1973年 神奈川県で生まれる。1988年 俳優として活動を開始。以降数々の作品に出演し、第36回モスクワ国際映画祭最優秀男優賞など受賞多数。
2013年 以前より描いていた絵画の個展「urge」(ヌイサンスギャラリー)を開催。

G21

小宮麻吏奈
蓬莱島古墳
2019
米谷家付近

作品制作協力: 古積造園土木株式会社

Marina Komiya◎1992年 アトランタで生まれる。2016年 プロジェクト「窓」をカタール(Safia Doha Hotel 311)で実施。
2016-2017年 花屋「小宮花店」を経営。
2016-2018年 オルタナティブスペース「野方の空白」を運営。
2017年「Fwd: Re: 春の小川 閉会式」(渋谷川、渋谷)を上演。「繁殖する庭」を運営中。
新しい生殖／繁殖の方法をパフォーマンスや映像、場所の運営など、メディアにとらわれず模索している。個人としての活動のほか、岸井大輔主宰「始末をかく」シリーズに出演、美術共同体「パープルルーム」に参加。

OTHER ART PROJECTS

キュウリチョイス

クリエイティブディレクション: 大木秀晃
キュウリチョイスロゴデザイン: 小杉幸一
キュウリチョイスソング制作: AUDIO FORCE
レシピ提供: 阿部久利(松竹)、今野美穂(中国料理揚子江)、渡辺千晶(トラットリア デル チェントロ)

MUSIC
—

転がる、詩

出演：櫻井和寿、宮本浩次、Salyu、青葉市子、小林武史(keyboards)、名越由貴夫(guitar)、TOKIE(bass)、椎野恭一(drums)、四家卯大(cello)、沖祥子(violin)
ライブ・ペインティング：中山晃子
モーションロゴ：ALLd.
主催：Reborn-Art Festival 実行委員会

Kazutoshi Sakurai◎1992年 Mr.Childrenとしてミニアルバム「EVERYTHING」でデビュー。
2018年10月、19作目となるアルバム「重力と呼吸」をリリース。
Mr.Childrenの活動と並行して、2003年小林武史らとap bankを設立、その活動の一環としてBank Bandを結成。これまでに3枚のアルバムをリリースしている。

Hiroji Miyamoto◎日本を代表するロックバンド、エレファントカシマシのヴォーカル&ギター。
1966年。生誕。
1981年。エレファント カシマシ結成。
1986年。現在のエレファント カシマシとなる。
1988年。「THE ELEPHANT KASHIMASHI」で、デビュー。
以後、バンドで22枚のアルバム、1枚のミニアルバム、50枚のシングルを出す。
2017年。30周年イヤー。紅白出場。
2018年。宮本浩次、シンガーとして椎名林檎、東京スカパラダイスオーケストラの作品に参加。
2019年。ソロ活動開始。これからにドキドキしている。

Salyu◎2000年4月、Lily Chou-Chouとしてデビューを果たし、彼女の歌が全編にフィーチャーされた岩井俊二監督作品、映画「リリイ・シュシュのすべて」が公開される。2003年には映画「kill bill」で、「回復する傷」がタランティーノ監督からの強いリクエストにより劇中歌として採用。2004年、日本を代表する音楽プロデューサー小林武史プロデュースのもとSalyuとしてデビュー。2006年にはBank Band with Salyuとして「to U」をリリース。Mr.Children桜井和寿とのデュエットで、圧倒的な声の存在感が注目を集める。2008年には日本武道館にて単独公演を成功。2011年にはCornelious(小山田圭吾)との共同プロデュースによる「s(o)un(d)beams」をsalyu×salyu名義で発表。国内外問わず多くの音楽ファン、クリエーターから注目されると共に、前衛的な作品が海外からも注目を集め、ロンドン、バルセロナ、バンコク、オーストラリ

アと海外公演やフェスに多数出演を果たし、大きな話題となる。2014年には台湾、香港公演を行いアジア圏からの注目度も高い。2018年には13年ぶりにBank Band with Salyu名義で「MESSAGE-メッセージ-」を発表。2019年2月には3度目となるフルオーケストラコンサート「billboard classics Salyu with 小林武史 premium symphonic concert 2019」を開催し、話題を集める。

Yukio Nagoshi◎COPASS GRINDERZ(コーパス・グラインダーズ)でメジャー・デビュー。bloodthirstybutchersのアルバム「kocorono」を共同プロデュース。
スタジオミュージシャンとしても、これまでにACO、CHARA、Curly Giraffe、ENDLICHERI☆ENDLICHERI、hitomi、Salyu、Superfly、UA、YEN TOWN BAND、YUKI、椎名林檎、長渕剛、桃乃未琴、らのアルバム製作に参加したり、彼らのバックバンドを務めたりしている。-

TOKIE◎中学時代、ブラスバンド部でコントラバスと出会い、低音／4弦の魅力の虜に。
高校に入るとエレクトリックベースに持ち替え、バンド活動を始める。
93年にNYへ渡り、イースト・ヴィレッジでアメリカやフランス出身のミュージシャンと共に「サルファー」を結成。95年までの活動の間、CBGBやニッティング・ファクトリーなどに出演した。96年の帰国後、さまざまなアーティストのサポートを開始。97年にはJESSE(Vo,Gt)、金子ノブアキ(Dr)とRIZEを結成。
2000年RIZEでメジャーデビュー。
同年、UAと浅井健一らのAJICOに参加。
RIZE脱退、AJICO活動休止後はLOSALIOS、unkieなどの活動と共に様々なアーティストのサポート、セッションでも精力的に活動。2012年TAKAHIRO(Vo)・HISASHI(Gt)・MOTOKATSU MIYAGAMI(Dr)との「ACE OF SPADES」結成。2013年に女性メンバーで結成したロックンロールトリオバンド「THE LIPSMAX」、2018年には「HEA」(ヒア)に参加、6月にファーストアルバムをリリース。確かなテクニックと華のあるパフォーマンスで会場を湧かせている。

Kyoichi shiino◎横浜生まれ。
幼い頃ビートルズ好きな姉のボーイフレンドがドラマーで、スティックをプレゼントされたのが、ドラムの道を志すきっかけとなる。
中学時代初めてバンドをつくり、はっぴいえんどからクリーム、ストーンズなどをコピーする。
高校生の時、当時エディー藩とオリエント・エクスプレスに在籍したゲーリー渡辺氏に師事。
卒業後、PaPaを結成。山下久美子、吉川晃司のサポートを経てバンドデビューを果たす。
Chara、布袋寅泰のアルバム、ツアーに参加の後、

渡英。
LONDONでの暮らしは自分の音楽的ルーツを再確認する旅となる。
Sky Lab・Kenji Jammer・Natural Calamity等と活動。
その時期にセッションを共にした仲間と帰国後Magnoliaを結成。
その傍らUA、花田裕之 BAND、AJICOへ参加する。
ドラマーとしての活動以外にも自主レーベルDEEP ORANGEを2009年に立ち上げStumble Bumの2枚のアルバムを制作プロデュース。
2012年ドラムスクールDrum Gardenをスタート。
現在も数多くのアーティストとのセッションを重ね活動の幅を広げている。
GOMA & Jungle Rhythm Section、Cocco、Signals、浅井健一、CARAVAN、Mooney & His Lucky Rhythm、児玉奈央、KEISON、YANCY、Spina B-ILL、Leyona、Theatre Brook、どんと&チーコさん、キリンジ、Salyu、椎名林檎、いきものがかり、SEKAI NO OWARI、スーマー、カルメンマキ、千尋、大澤誉志幸etc…

Udai Shika◎ロック、ポップス、ジャズ、即興音楽と多彩なジャンルで活躍する土俗的チェリスト。
2010年代の日本の商業音楽界を支えるトップ・ストリングスアレンジャーのひとり。
翻って即興演奏も得意とし、数多くのオルタナティブなアーティストとも共演。オリジナル曲やクラシックに即興を取り入れた演奏スタイルも得意とする。
東京都出身。長期にわたりNHK交響楽団のチェリストだった父・故大村卯七の手ほどきにより、10才からチェロを始める。(財)新日本フィルハーモニー交響楽団に在籍後、多数のアーティストのレコーディング、ライブ、映画・CM音楽制作に参加。
近年ではBank Band、Mr.Children、ONE OK ROCKをはじめ、多数のロックバンドにストリングス担当として演奏&アレンジで参加。
ソロ作品として「インドのとらがり」「とりのうた」「犬とたまねぎ」「太平楽」(四家卯大＋田中邦和＋佐藤直子のLiveアルバム)がある。
2018年より東京都公認のヘブンアーティストとしても活動開始。

Syoko Oki◎東京生まれ。東京音楽大学を首席で卒業。
在学中より、オーケストラ、室内楽、ソロ演奏で、クラシックを越えた様々なジャンルで活動。
ピアノトリオ「クラクラ」のメンバーとして、NHKBS「シネマパラダイス」にレギュラー出演を果たす。
これまでに、Mr.Children、MY LITTLE LOVER、レミオロメンをはじめとする数々のアーティストのCD製作に参加。
Mr.Children、吉田拓郎、エンヤ、谷村新司、大塚

愛、矢沢永吉、相川七瀬、坂本真綾 etc. アーティストとのステージ競演も多数。大ヒット映画「世界の中心で愛をさけぶ」では、劇中音楽で全編にわたりソロヴァイオリンを担当。服部克久率いる、東京ポップスオーケストラメンバー。

2005年から2011年、つま恋における「AP Bank Fes」に、小林武史、桜井和寿率いる Bank Band のメンバーとして参加。

ビッグバンド ASA-CGANG ＆ブルーハッツのメンバーとして、CD、DVD を発売。

童謡の普及活動にも熱心で、「小さな木の実」で知られる大庭照子女史主催の NPO 日本国際童謡館の活動として、日本全国の児童、特別学級の児童の向けてのライブ活動を意欲的に行っている。また大庭女史のアルバムでは、全曲にわたり、演奏・編曲をつとめ、高い評価を受けている。自身が主力メンバーである音楽団体「無名風景（アノニマスビュー）」の活動としては、NHK 特別番組「樹海」、その他 CM 等の音楽制作、演奏に関わり、その美しい音と旋律の世界でたくさんのファンを集めている。

卓越した感性と美音の持ち主で、聴衆を魅了し続けている。

Akiko Nakayama ◎画家。1988年生まれ。2012年東京造形大学造形学部美術学科絵画専攻領域卒業、2014年東京造形大学造形学部美術研究領域修士課程修了。色彩と流動の持つエネルギーを用い、様々な素材を反応させることで生きている絵を出現させる。絶えず変容していく「Alive Painting」シリーズや、その排液を濾過させるプロセスを可視化し定着させる「Still Life」シリーズなど、パフォーマティブな要素の強い絵画は常に生成され続ける。様々なメディウムや色彩が渾然となり、生き生きと変化していく作品は、即興的な詩のようでもある。鑑賞者はこの詩的な風景に、自己や生物、自然などを投影させながら導かれ入り込んでいく。ソロでは音を「透明な絵の具」として扱い、絵を描くことによって空間や感情に触れる。近年では TEDxHaneda、DLECTROCITY ART FESTIVAL（デトロイト）、Solo performance at NEW ARS ELECTRONICA（オーストリア）、Biennale Nemo（パリ）、LAB30 Media Art Festival（アウグスブルグ）、TECHNARTE art + technology（スペイン）等に出演。

ALLd. ◎東京・代官山を拠点に、TVCM やコンセプト映像など広告におけるモーションデザインを軸とした映像表現やグラフィックデザインを中心に活動するデザインスタジオ。

プロダクトブランド「46/D. -THE GOOD OLD PRODUCTS」も新たに展開するなど、時代を経ても、その映像とデザインが色あせることなく変わらず年を重ねていくような、どんな "一瞬" を切り取っても、ブレない「デザイン」を追求し続けている。

「Reborn-Art Festival 2019」Motion Logo
「転がる、詩」Event Motion Logo
Creative Direction: 荻野健一（ALLd.）
Motion Design: 水野開斗

四次元の賢治 - 完結編 -

Supported by 木下グループ

原案: 宮沢賢治
脚本: 中沢新一
音楽: 小林武史
出演: 満島真之介、Salyu、コムアイ（水曜日のカンパネラ）、ヤマグチヒロコ、小林武史
声の出演: 太田光（爆笑問題）、櫻井和寿、青葉市子、安藤裕子、〈友情出演〉細野晴臣
アニメーション: 奥田昌輝

Sinnosuke Mitsushima ◎1989年生まれ。2010年舞台「おそるべき親たち」で俳優デビュー。若松孝二監督の映画「11.25自決の日 三島由紀夫と若者たち」を皮切りに、『キングダム』（監督: 佐藤信介）、「いだてん」（NHK 大河ドラマ）「逆鱗」（作・演出: 野田秀樹）など多くの映画、ドラマ、舞台、CM 等に出演。その熱い演技力が評価され、若手俳優として引く手数多のひとりとなる。一方で、デビュー前には自転車で日本一周を経験し、一時期は児童保育に携わるなどその行動力は幅広く、現在も絵本作家・長田真作と共にこどもに向けたイベントを開催するなど多岐にわたる活動等を行っている。

KOM_I ◎アーティスト。1992年生まれ、神奈川育ち。
ホームパーティで勧誘を受け歌い始める。
「水曜日のカンパネラ」のボーカルとして、国内だけでなく世界中のフェスに出演、ツアーを廻る。
その土地や人々と呼応して創り上げるライブパフォーマンスは必見。
好きな音楽は民族音楽とテクノ。好きな食べ物は南インド料理と果物味のガム。
音楽活動の他にも、モデルや役者など様々なジャンルで活躍。2019年4月3日、屋久島とのコラボレーションをもとにプロデューサーにオオルタイチを迎えて制作した新 EP「YAKUSHIMA TREASURE」をリリース。

Hiroko Yamaguchi ◎2008年から Salyu のコーラスとして数々の公演でサポートを務める。東日本大震災復興支援「こころ音プロジェクト」に参加。テレビ東京「ゴッドタン」にも出演し幅広いフィールドで活動中。

Masaki Okuda ◎アニメーション作家。1985年、横浜市生まれ、同市在住。多摩美術大学グラフィック

デザイン学科卒業。東京藝術大学大学院映像研究科アニメーション専攻修士課程修了。東京藝術大学在学中に制作した「くちゃお」がアニマドリード学生部門グランプリ、クロク国際映画祭学生部門グランプリを受賞した他、ベルリン国際映画祭ジェネレーション部門へのノミネートや国内外の映画祭で受賞・上映多数。様々な表現手法を用いたグラフィックをユーモラスかつ軽快なリズムで変幻自在に動かす。アニメーションの手法としてのメタモルフォーゼ（変形）に興味を持ち、モチーフが変化していくアニメーション独自の表現を追求している。主な仕事に、NIKE の広告映像、Special Favorite Music「Royal Memories」MV があり、広告映像や TV ドラマ・映画のタイトル映像、ライブ演出映像、教育コンテンツ等、制作物は多岐にわたる。

【岩手公演】
『四次元の賢治 - 完結編 -』三陸防災復興プロジェクト2019
主催: 三陸防災復興プロジェクト 2019 実行委員会
企画・制作: Reborn-Art Festival 実行委員会、株式会社LIVE
後援: 宮城県、石巻市
協力: 木下グループ

【宮城公演】
オペラ『四次元の賢治 - 完結編 -』Supported by 木下グループ
主催: Reborn-Art Festival 実行委員会
企画・制作: Reborn-Art Festival 実行委員会、株式会社LIVE
特別協賛: 木下グループ

【東京公演】
Reborn-Art Festival 2019 -final session in Tokyo-
オペラ『四次元の賢治 - 完結編 -』Supported by 木下グループ
主催: Reborn-Art Festival 実行委員会
企画・制作: Reborn-Art Festival 実行委員会、株式会社LIVE
特別協賛: 木下グループ

リボーンまつり

出演: 山本彩、小林武史、四家卯大、コンドルズ（近藤良平、山本光二郎、オクダサトシ）、森本千絵

Sayaka Yamamoto ◎1993年7月14日生まれ。大阪府出身。
2010年10月9日東京・葛西臨海公園での野外ライブ『Visit Zoo キャンペーン応援プロジェクト AKB48 東京秋祭り supported by NTT ぷらら』において NMB48 が初めてお披露目され発足。

発足当時からNMB48のキャプテンをつとめ、8年間中心メンバーとして活動。

2016年自身の夢・目標でもあるシンガーソングライターとしての活動を始動させ、デビューアルバム「Rainbow」を10月26日にリリース。

10月27日、万博記念公園東の広場で卒業コンサート『SAYAKA SONIC~さやか、ささやか、さよなら、さやか~』を開催。NMB48史上最大規模、約3万人を動員した初の野外コンサートとなった。

11月4日、この日の卒業公演をもってNMB48を卒業。

2019年4月17日にユニバーサルミュージック移籍第1弾シングル「イチリンソウ」をリリース。

Ryohei Kondo◎ペルー、チリ、アルゼンチン育ち。コンドルズ主宰。平成28年度（第67回）文化庁芸術選奨文部科学大臣賞受賞。

第4回朝日舞台芸術賞寺山修司賞受賞。TBS系列「情熱大陸」、NHK「地球イチバン」出演。NHK教育「からだであそぼ」内「こんどうさんちのたいそう」、「かもしれないたいそう」、「あさだからだ！」内「こんどうさんとたいそう」、NHK総合「サラリーマンNEO」内「サラリーマン体操」などで振付出演。「AERA」の表紙にもなる。

他にも野田秀樹作演出NODA・MAP「パイパー」に振付出演。野田秀樹演出、NODA・MAPの四人芝居「THE BEE」で鮮烈役者デビュー。前田哲監督映画「ブタがいた教室」などに役者として出演。サントリーBOSS「シルキーブラック」TVCMにも出演。NHK連続TV小説「てっぱん」オープニング振付、三池崇史監督映画「ヤッターマン」、宮崎あおい主演「星の王子さま」などの振付も担当。郷ひろみ「笑顔にカンパイ」振付。女子美術大学、立教大学などで非常勤講師としてダンスの指導もしている。愛犬家。

Kojiro Yamamoto◎奈良教育大学大学院で教育学専攻。教育学修士。99年からコンドルズ参戦。抜群の運動神経とリズム感で、優美なダンスを披露する。ファッション誌にモデルとしても活躍。野田秀樹作演NODA・MAP「パイパー」に出演。NHK総合「サラリーマンNEO」内「テレビサラリーマン体操」レギュラー出演。前田哲監督作品「極道めし」、劇団鹿殺しなどに役者としても出演。桐朋学園芸術短期大学芸術科非常勤講師。

Satoshi Okuda◎東京藝術大学大学院で油画専攻。芸術学修士。99年からコンドルズ参戦。体重120キロの巨漢を活かした、いろんな意味で破壊的なステージングが得意。作品中の映像作品、小道具、美術なども担当。野田秀樹作演出NODA・MAP「パイパー」、山田洋次監督作品「家族はつらいよ」などに客演。

アーティストとしてgoen°に参加。2017年発売のKIRIN「若葉香るホップ」「夏冴えるホップ」のパッ

ケージイラストを担当。人気上昇中のアートユニットのATGを主宰。プロレスマニア。元女子美術大学、非常勤講師。

Chie Morimoto◎株式会社goen°主宰。コミュニケーションディレクター・アートディレクター。武蔵野美術大学客員教授。

1999年武蔵野美術大学卒業後、博報堂入社。2006年史上最年少でADC会員となる。07年「出逢いを発明する。夢をカタチにし、人をつなげていく。」をモットーに、株式会社goen°を設立。

NHK大河ドラマ「江」、朝の連続テレビ小説「てっぱん」のタイトルワーク、「半分、青い。」のポスターデザインをはじめ、Canon、KIRINなどの企業広告、松任谷由実、Mr.Childrenのアートワーク、映画や舞台の美術、動物園や保育園の空間ディレクション、11年「24時間テレビ」チャリティーTシャツデザインなど活動は多岐に渡る。

11年サントリー「歌のリレー」でADCグランプリ初受賞。N.Y.ADC賞、ONE SHOWゴールド、アジア太平洋広告祭ゴールド、SPACESHOWER MVA、50th ACC CM FESTIVAL ベストアートディレクション賞、ADFESTヤングコンペ日本代表、伊丹十三賞、日本建築学会賞、第4回東奥文化選奨、日経ウーマンオブザイヤー2012など受賞多数。二子玉川ライズクリスマス2018「Merry Tick Tock」プロデュース、キネコ国際映画祭アーティスティック・ディレクター兼、審査委員長を務める。

FOOD
—

フードディレクター：ジェローム・ワーグ、原川慎一郎

Jérôme Waag◎パリ出身。カリフォルニア州バークレーにあるレストラン「Chez Panisse」の元総料理長、アーティスト。2016年、「the Blind Donkey」をオープンすべく東京へ移住。2017年、神田に「the Blind Donkey」をオープン。

Shinichiro Harakawa◎「La Madeleine」（フランス、当時2ツ星）、「uguisu」（三軒茶屋）のシェフを経て、2012年、目黒に「BEARD」をオープン（2017年8月に閉店）。「Nomadic Kitchen」などの活動の傍ら、「Chez Panisse」での定期的なインターンシップを重ね、2017年、ジェローム・ワーグとともに神田に「the Blind Donkey」をオープン。

石巻フードアドベンチャー

ISHINOMAKI BEER CAMP
共同開催：イシノマキ・ファーム

物語餅 ～私たちが思い描く未来を探すために～
案内人：ジェローム・ワーグ、守章
協力：有馬かおる、Ammy、林貴俊、宮本悠合、阿部司、岡内ゆり

FERMENTO体験入門
～牡鹿で食猟師がおこなっていること～
案内人：小野寺望

魚の船のスープ ～Fish Boat Soup～
案内人：亀山貴一（「はまぐり堂」オーナー兼漁師）、ジェローム・ワーグ
協力：甲谷強
企画協力：真鍋太一（Food Hub Project 神山）

牡蠣の育つ海への冒険
～漁師・江刺寿宏、ダイバー・髙橋正祥、料理人・今村正輝とともに～
案内人：江刺寿宏（牡蠣漁師）、髙橋正祥（シュノーケリング担当／宮城ダイビングサービス High Bridge）、今村正輝（ランチ担当／四季彩食いまむら）

食猟師と鹿について語り 鹿を食べる。#1
案内人：在本彌生、小野寺望
企画協力：真鍋太一

食猟師と鹿について語り 鹿を食べる。#2
案内人：津田直、小野寺望
聞き役：豊嶋秀樹
企画協力：真鍋太一

食猟師と歩き、料り、食べ、語る。
案内人：小野寺望、原川慎一郎
企画協力：真鍋太一

石巻・牡鹿半島"いのちのいろ"自然を染める ネイチャーアドベンチャー
案内人：木ノ瀬千晶（染色家）、原川慎一郎、小野寺望

謝肉祭 ～自然の贈与～
案内人：楠田裕彦、佐藤剛

Yasuhiko Kusuda◎1972年兵庫県生まれ。ハム職人だった父の独立に伴い、鹿児島県に移り、幼少期より、仕事を手伝う。関西でイタリア・フランス料理を学ぶ。阪神淡路大震災後、「レストラン ローテローゼ」でシェフを務める。1996年、渡欧。ドイツとフランスで修業を開始。2000年より、鹿児島『クスダハム工房』にて工場長として携わる。2004年、神戸に移り『メツゲライクスダ六甲道店』を開店。2009年、芦屋店を開店。2013年、フランス国内の最優秀シャルキュティエ（肉食加工品職人）を決める『concours Chefs charcutier-traiteurs』に、特別招待選手として出場。2015年1

月、『インターナショナルケータリングカップ』に『ラシーム』高田裕介氏と日本代表として出場。魚料理部門で最優秀賞受賞。2015年11月、農林水産省料理人顕彰制度『料理マスターズ』受賞。2016年5月、『シヤンピオナートトデュモンドゥバテオンクルート2016』アジア予選審査員に選任。2016年9月、経済産業省『クールジャパン』政策において、日本が誇るべき優れた地方産品『The Wonder500』に選ばれる。

Takeshi Sato◎1986年、宮城県川崎町生まれ。調理師学校卒業後、幼少期から憧れていた料理人を目指し、2007年仙台市内のレストラン「AL FIORE」に就職。食肉のさまざまな加工や専門的な料理技術を身につけると同時に、こだわりのあるさまざまな農家を訪ねる機会に恵まれる。2012年地元・川崎町で豚を自然放牧で肥育する事業をスタート。自ら放牧場を開墾して整備し、飼料も地元加工品の副産物や周辺農家の規格外野菜や自家栽培の野菜を与え、育てている。「TRANSIT! Reborn-Art 2018」の「OPEN KITCHEN」プロジェクトシェフ。リボーンアート・フェスティバル2019の桃浦エリア作品、リボーンアート・ファームを監修。Fattoria Kawasaki代表。

Reborn-Art DINING

ローカルシェフ: 松本圭介、佐藤剛

Keisuke Matsumoto◎ダ・オリーノ（石巻）料理長。1979年、茨城県生まれ。イタリアマエストロの称号を持つ石崎幸雄のもと、「リストランテ・ジャルディーノ」でイタリア料理を学ぶ。2012年に震災後の仕事で石巻に訪れた際に、石巻の食材や環境、様々な魅力に惹かれ、2015年7月に「OSPITALITA DA HORI-NO」を開店。

ゲストシェフ: 川手寛康、石松一樹、浜田統之、松岡英雄、小林寛司、樋口敬洋、石井真介

Hiroyasu kawate◎フロリレージュ（東京）オーナーシェフ。1978年生まれ。東京都出身。「オオハラ エ シイアイイー」や「ル ブルギニオン」で修行後渡仏し、星付き店で修業。帰国後「カンテサンス」のスーシェフを経て、2009年オーナーシェフとして「フロリレージュ」を開店。ライブキッチンスタイルの開業移転後、積極的に海外のトップシェフとのコラボレーションを展開している。2017年に開催された「Asia's 50 best restaurants」では初登場で14位、2019年には5位を獲得。また、2019年、ミシュランガイド東京で2つ星を獲得している。系列店「ロジー」を2019年秋に台北にオープン。

Kazuki Ishimatsu◎マルタ（東京）シェフ。1988年生まれ。東京都出身。「カーエム（KM）」（銀座）な

ど数軒のレストランで研鑽を積み、2015年に渡豪。メルボルン郊外の気鋭のレストラン「ブラエ（Brae）」でシェフのダン・ハンターに師事。2017年、東京調布の深大寺にオープンした「Maruta」のシェフに就任。スーシェフの中村有作とともに、"ローカルファースト"をコンセプトに、地元の食材や東京近郊から届く新鮮な魚介類や野菜、乳製品を大切に使用。自家製の保存食や調味料を使い、薪の火で調理した旬の料理を提供している。

Noriyuki Hamada◎星のや東京 ダイニング（東京）シェフ。1975年生まれ。鳥取県出身。18歳からイタリア料理の世界で腕を磨き、24歳でフランス料理に転身。2004年「ボキューズ・ドール国際料理コンクール日本大会」では史上最年少で優勝し、2010年「ル・テタンジェ国際料理賞コンクール・ジャポン」3位入賞、2012年「ボキューズ・ドール国際料理コンクールアジア大会」準優勝、2013年「ボキューズ・ドール国際料理コンクール フランス大会本選」では世界第3位となるなど受賞も多数。2014年農林水産省料理人顕彰制度 料理マスターズ受賞、フランスにて料理本を発売。2016年からは「星のや東京」料理長として、「Nipponキュイジーヌ」を提供している。

Hideo Matsuoka◎割烹 まつおか（京都）店主。1972年生まれ。兵庫県豊岡市出身。大学卒業後、大阪中之島辻学園調理技術専門学校を卒業。「堂島割烹 河佐」（大阪／現在閉店）、「千羽鶴」（ニューオータニ神戸ハーバーランド／現在閉店）、「割烹やました」（京都）にて修行後独立。季節に応じて、京都各地の旬の食材を使った料理を提供。

Kanji Kobayashi◎ヴィラ アイーダ（和歌山）オーナーシェフ。1973年生まれ。和歌山県出身。兼業農家の長男。田畑を手伝い、あぜ道をかけ回って遊ぶ幼少期を過ごす。大阪のイタリア料理店に勤務後渡伊。各地を巡る中で、人々の食に対する考え方と情熱に忘れられないほど感動し、帰国。1998年、生まれ育った和歌山県岩出市で「アイーダ」を開業。店横にある畑で自ら育てた野菜やハーブを使い"ここでしか味わえない"料理を届ける。「Top 100 Best Vegetables Restaurants 2019」では17位に。著書に『自然から発想する料理』（柴田書店）がある。

Takahiro Higuchi◎サローネグループ（東京）統括総料理長。1976年生まれ。東京都出身。高校卒業後、料理の道に進む。2002年渡伊。「バイバイ ブルース」（パレルモ）、「アル・フォゲール」（ピアッツァ・アルメリーナ）など、シチリアで3年間修業を積む。2006年「リストランテチリアーノ」（銀座）のシェフに就任、2007年「SALONE2007」のダブルシェフの一人を務める。2010年「イル テアトリーノ ダ サローネ」（南青山）のシェフに就任。2011年

シェフを後任に譲り、統括総料理長としてグループ店舗全体を統括する。2013年浅草開化楼のカリスマ製麺師・不死鳥カラス氏と低加水のパスタフレスカを共同開発、その後パスタ専用粉の開発も手がける。2016年「ロットチェント」（日本橋）オープンに伴いシェフに就任。2018年「サローネトウキョウ」（日比谷）のエグゼクティブシェフに就任。統括総料理長も引き続き務める。

Shinsuke Ishii◎シンシア（東京）オーナーシェフ。1976年、東京都生まれ。「オテル・ドゥ・ミクニ」や「ラ・ブランシュ」を経て渡仏。アルザス地方「ル・クロコディール」、アキテーヌ地方「ロジェ・ド・ローベルガード」など星付きレストランで働き、2004年帰国。松濤のレストラン「バカール」のシェフを経て、2016年4月にレストラン「Sincère（シンシア）」をオープン。2017年から水産資源の未来を考えるシェフ集団「Chefs for the Blue」のリードシェフを務める。2018年度 Gault et Millau「明日のグランシェフ賞」受賞。2019年、ミシュランガイド東京で1つ星を獲得。

装飾: 木ノ瀬千晶

リボーンアート・ファーム

協力: 石巻専修大学経営学部庄子ゼミ、宮城県石巻高等学校新聞部、リボーンアート・スクール参加者、名城大学理工学部建築学科佐藤ゼミ、環境ステーション

はまさいさい

共同運営: 一般社団法人フィッシャーマン・ジャパン
協力: 割烹滝川、すし寶来

リボーンアート・フェスティバル2019

会期：2019年8月3日(土)～9月29日(日)
会場：牡鹿半島、網地島、石巻市街地、松島湾（宮城県石巻市、塩竈市、東松島市、松島町、女川町）
参加アーティスト：69組
展示作品：82点
公式延べ来場者数：44万人（アート鑑賞者カウント延べ数）

主催：Reborn-Art Festival 実行委員会、一般社団法人APバンク
共催：宮城県、石巻市、塩竈市、東松島市、松島町、女川町、株式会社河北新報社、東日本旅客鉄道株式会社 仙台支社、ヤフー株式会社
助成：令和元年度 文化庁国際文化芸術発信拠点形成事業

文化庁　オーストリア大使館／オーストリア文化フォーラム

協賛(50音順)：木下グループ　KIRIN　住友林業　TSUTAYA　T-POINT　環境STATION　GRAND MARBLE　日立システムズ　三井不動産　株式会社LIXIL

後援：TBC東北放送、OX仙台放送、ミヤギテレビ、KHB東日本放送、エフエム仙台、InterFM897、ジャパンタイムズ、antenna*
特別協力：Reborn-Art Festival 石巻実行委員会
地元特別協賛：ヤマト屋書店
地元協賛：ONETABLE　アイベックスエアラインズ株式会社、ニッポンレンタカー東北株式会社、特定非営利活動法人石巻市スポーツ協会、有限会社アイ・エフ・エス、齋藤不動産管理事務所、コメダ珈琲店石巻蛇田店
地元協力：地域のみなさん、こじか隊、アルバイトスタッフのみなさん、網地島アートサポートクラブ
連携事業(50音順)：あいちトリエンナーレ2019、三陸防災復興プロジェクト2019、瀬戸内国際芸術祭2019

実行委員会　※2019年9月時点

名誉実行委員長：村井嘉浩（宮城県知事）
実行委員長：亀山紘（石巻市長）
実行委員長：小林武史（一般社団法人APバンク代表理事）
顧問：佐藤昭（塩竈市長）、渥美巖（東松島市長）、櫻井公一（松島町長）、須田善明（女川町長）、北川フラム（株式会社アートフロントギャラリー代表取締役会長）
委員：浅野亨（石巻商工会議所会頭）、一力雅彦（株式会社河北新報社代表取締役社長）、雫石隆子（公益社団法人宮城県芸術協会理事長）、後藤宗徳（一般社団法人石巻観光協会会長）、西條佐敏（石巻市文化協会会長）、齋藤富嗣（鮎川港まちづくり協議会会長）、尾池守（石巻専修大学学長）、佐藤寿彦（株式会社ジー・アイ・ピー代表取締役）、宮原賢一（公益財団法人宮城県文化振興財団理事長）、丹野一雄（宮城県漁業協同組合経営管理委員会会長）、中西健夫（株式会社ディスクガレージ代表取締役）、中山ダイスケ（東北芸術工科大学 学長）、須永浩一（ヤフー株式会社石巻チームリーダー）、矢内廣（一般社団法人チームスマイル代表理事）、坂井究（東日本旅客鉄道株式会社 執行役員 仙台支社長）、小野寺智（日本製紙株式会社石巻工場工場長代理兼事務部長）、川上伸昭（宮城大学理事長兼学長）
事務局：一般社団法人リボーンアートフェスティバル
事務局長：松村豪太（一般社団法人ISHINOMAKI2.0代表理事）
副事務局長：江良慶介（一般社団法人APバンク）

制作委員会

制作委員長：小林武史（音楽家、一般社団法人APバンク代表理事）
委員：中沢新一（思想家、人類学者、明治大学野生の科学研究所所長）、和多利恵津子（ワタリウム美術館館長）、和多利浩一（ワタリウム美術館代表CEO）、岩井俊二（映画監督、株式会社ロックウェルアイズ代表）、江良慶介（一般社団法人APバンク）

制作：坂口千秋、志村春海／西川汐／安井和子／中村加代子（Reborn-Art Festival事務局）、北川毅（一般社団法人APバンク）、協力者のみなさん
運営：西田宏（Directon&Circle株式会社）、新井英児／市村由利子／川端良子（Reborn-Art Festival事務局）、舛谷久美子／南口彩（一般社団法人APバンク）、富田悦子（株式会社OORONG-SHA）、及川達也／平一刀／柴直也／佐藤ケイ（株式会社ディゴルド）、土橋剛伸（もものうらビレッジ）、雁部隆寿、こじか隊のみなさん、協力者のみなさん
ツアー企画・販売：一般社団法人石巻圏観光推進機構
ツアー運営：株式会社ノースジャパンツアーズ
広報：成田千苗、鈴木絵美子（博報堂DYメディアパートナーズ）、西山裕子（YN Associates）、大久保玲子(art & press PLUGIN)

写真撮影：後藤武浩、中野幸英、長崎由幹、古里裕美、平井慶祐、熊谷義朋、諸川舞、加藤淳也、野村仁 (p.79)、WOW (p.81)、井上嘉和 (pp.84-85)、平林岳志(p.91)、津田直(pp.94-95)、島袋道浩(pp.106, 111右上, 114-115, 117中)、松岡一哲(p.109右下)、沼田孝彦(pp.156-157)、八木咲(pp.158-159)、加納実久(p.167)
デザイン：groovisions
ウェブ制作：加藤淳也(PARK GALLERY)
翻訳：クリストファー・スティヴンズ（英語）、西沢三紀（英語）、hanare x Social Kitchen Translation（英語）、小山ひとみ（中国語簡体）、呉珍珍（中国語簡体）、チン・ユホウ（中国語繁体）、ユ・ソラ（韓国語）
編集：小林沙友里

info@reborn-art-fes.jp
https://www.reborn-art-fes.jp/

リボーンアート・フェスティバル2019公式記録集

初版 2021年6月25日

編集： リボーンアート・フェスティバル事務局、小林沙友里
デザイン： groovisions
印刷： シナノ印刷
発行人： 細川英一
発行所： アートダイバー
〒221-0065　神奈川県横浜市神奈川区白楽121
info@artdiver.moo.jp
https://artdiver.tokyo/

ISBN978-4-908122-18-7